二〇一一年一月二十四日

WHAT YOUR DOCTOR DOESN'T KNOW ABOUT NUTRITIONAL MEDICINE MAY BE KILLING YOU

别让不懂营养学的
医生害了你

〔美〕雷·D·斯全德（医学博士）◇著

吴 卉 ◇译

· 为什么不懂营养学的医生是"可怕的"
· 什么能迅速提升你身体的"天然治疗能力"
· 你要立即开始保护自己不受"氧化作用"的伤害
· 全球最新的抗衰老观念

北京燕山出版社

图书在版编目（CIP）数据

别让不懂营养学的医生害了你／（美）斯全德著；吴卉译.
—北京：北京燕山出版社，2006.3
ISBN 7-5402-1755-3

Ⅰ.别… Ⅱ.①斯… ②吴… Ⅲ.慢性病－营养卫
生 Ⅳ.① R442.9② R151.4

中国版本图书馆 CIP 数据核字（2006）第 019178 号

Chinses translation Copyright(c) by BEIJING YANSHAN PRESS

Original English language edition Copyright(c) 2005 by Thomas Nelson,Inc.

Simplified Chinese characters edition arranged with / Thomas Nelson,Inc.

through BIG APPLE TUTTLE-MORI AGENCY,LABUAN,MALLAYSIA.

北京市版权局著作权合同登记号：图字：01-2006-1507 号

版权所有·侵权必究

书　　名：别让不懂营养学的医生害了你
作　　者：[美] 雷·D·斯全德　著
译　　者：吴　卉
责任编辑：贵　群
社　　址：北京市东城区灯市口大街 100 号
电　　话：010-65243837　　邮　编：100006
经 销 商：各地新华书店
印刷装订：北京市富达印刷厂
开　　本：880×1230毫米　16开
字　　数：140千字
印　　张：14.25
版　　次：2006 年 4 月第 1 版
印　　次：2006 年 4 月第 1 版
书　　号：ISBN 7-5402-1755-3
定　　价：25.00 元

（如发现印装错误，本社负责调换）

CONTENTS <<目录

致谢 2

介绍 4

第一部分　开始之前

第1章　我的转变 10

　　把假设付诸实践 12

　　我对营养补充的研究 14

　　维生素与你 16

第2章　活得太短；死得太长 18

　　敲响警钟 19

　　预防药物 21

　　健康生活的要素 22

　　给病人一个选择的机会 24

　　大卫的故事 25

第3章　体内的战争 28

　　氧气的黑暗面 30

　　我们的友军：抗氧化物 31

　　后防支援 32

　　自由基产生的原因 33

目录 >>>
C O N T E N T S

第二部分　打赢体内的战争

第4章 我们的修复系统：

MASH 野战医疗部队 40

战争的破坏 42

我们最佳的防御 43

我们的目标是平衡 44

伊芙林的故事 45

第5章 心脏病：一种炎症性疾病 49

那么胆固醇呢？ 49

炎症反应的本质 51

真正的预防措施：看看研究结果吧 .. 56

营养药物：真正的预防措施 58

第6章 高半胱氨酸：新秀登场 60

什么是高半胱氨酸？ 60

正确的事物——错误的年代 61

高半胱氨酸重新受到重视 62

让我赚大钱！医药的经济力量 64

高半胱氨酸有没有健康水平呢？ 65

怎样才能降低高半胱氨酸水平？ 65

甲基化反应缺乏 66

凯尔默·迈考利医生的结论 67

第7章 心肌炎：治愈的新希望 70

心脏肌肉的疾病 73

什么是辅酶 Q10 74

CoQ10 不足与心力衰竭 75

心肌炎患者的治疗 76

为什么医生们不推荐 CoQ10 呢？ 78

爱玛的故事 79

第 8 章 化学预防与癌症 81

癌症和它的原因 82

氧化压力是癌症的原因 82

多级的进程 83

越晚越花钱 84

预防癌症 ＝ 化学预防 85

如果我已经得了癌症呢？ 90

金佰利的故事 91

为什么它们会有效 92

米歇尔的故事 94

第 9 章 氧化压力与你的眼睛 97

我们的眼睛的问题 98

视网膜自由基的生成 102

菲儿的故事 105

保护你的眼睛，预防

白内障和老年性视网膜黄斑变性 . . . 106

目录 >>> C O N T E N T S

第 10 章 自身免疫性疾病 109

免疫系统：我们坚强的守护者 111

营养和我们的免疫系统 113

炎症反应 115

自身免疫性疾病 117

麦特的故事 118

第 11 章 关节炎与骨质疏松症 121

关节是怎么被破坏的？ 122

另一种关节炎：风湿病 123

传统的关节炎疗法 124

佩琪的故事 124

抗氧化营养补充 126

骨质疏松症 128

骨骼不仅是钙还是活的组织 130

预防骨质疏松症 133

第 12 章 肺病 135

肺和空气污染 137

肺部的天然保护机制 138

哮喘 139

亚当的故事 140

哮喘与营养 141

空气污染与慢性阻塞性肺病 143

CONTENTS <<< 目录

囊肿性纤维化 145

夏莉的故事 145

第13章 神经退行性疾病 148

氧化压力与大脑 150

大脑的老化 151

脑血屏障 155

大脑所需的抗氧化物质 155

保护我们最珍贵的财产 158

罗斯的故事 159

第14章 糖尿病 161

乔刚来的时候 162

X综合征会致命吗？ 162

如何判断自己是否得了X综合征？ . . . 165

乔是如何战胜X综合征的 166

糖尿病的诊断和检测 167

肥胖 168

糖尿病的治疗 169

改变生活方式详解 170

麦特的故事 175

第15章 慢性疲劳症与肌肉纤维痛 . . . 177

另类疗法 179

免疫性抑郁症 180

目录 >>> CONTENTS

朱迪的故事 182

根本的原因 183

治疗方法：捕获疾病 184

马里亚那的故事 186

第三部分　营养药物

第 16 章　医生在营养供应

方面的不同意见 **189**

典型的美国食谱 190

美国的食物质量 191

最佳用量与 RDA 用量 193

营养补充的危险性与安全性 196

医生的辩护 201

反对营养补充的事例 202

我的看法 203

一项更近期的研究 204

第 17 章　细胞营养：综述 **206**

最佳剂量的营养 207

保护你的健康 210

优化剂 210

需要进一步的帮助吗？ 215

营养补充的选择 215

亲爱的兄弟啊，
我愿你凡事兴盛，
身体健壮，
正如你的灵魂兴盛一样。

——《新约》约翰福音第3篇第2节

致
>>>
Acknowledgments

谢

　　首先，我实在无法找到恰当的词语来感谢上帝给予我的恩赐。他是最伟大的医生，他是真正能够医治我们的人。从我逐渐了解了人类肌体强大的自我保护和修复能力开始，每一天我都震惊于他的杰作中所包含的知识。

　　这本书的完成归功于许多人，对此我深表感谢。我要感谢我的经理人凯瑟琳·赫尔莫斯 (Kathryn Helmers)，她在整本书的写作过程中都忠实地对我加以指导；感谢我的发行人，Thomas Nelson 出版社的维克多·奥利佛 (Victor Oliver) 和麦克尔·海加特 (Michael Hyatt)，他们认识到本书介绍的健康观念可能对我们产生终生的影响；感谢我的主编克利斯顿·卢卡斯 (Kristen Lucas)，他对本书细节的关注使这本书能够最终完成；感谢爱丽丝·克来德 (Alice Crider) 精心编写了本书的索引。

　　我要特别感谢我的合作者当娜·华来士 (Donna Wallace)，她出色的才华和影响在本书中处处可见。没有她全心的投入和指导，本书可能永远无法完成。

　　我的所有临床工作成员都非常地优秀。我特别感谢我的两名护士波里蒂·南克沃 (Paulette Nankivel) 和梅里莎·阿伯利 (Melissa Aberle)

给我足够的时间编写本书。另外感谢卡门·汤普逊 (Karmen Thompson) 和莱昂内·杨 (Leone Young) 帮我收集了大量的医学研究资料，为本书提供了事例和基础。

我要特别感谢布鲁斯·莱根 (Bruce Nygren)，他的支持使我有机会编写本书。我为布鲁斯祈祷，他在本书编写期间失去了心爱的妻子莱辛达 (Racinda)。

我无法用语言描述我妻子伊丽莎白 (Elizabeth) 给我的爱和支持，她的鼓励支撑着我完成繁重而艰难的研究和写作过程。还有我的孩子们，多尼 (Donny)、尼克 (Nick) 和莎拉 (Sarah)，他们已经长大成人，但是仍不断地对我加以支持和鼓励：谢谢你们。

介绍
Introduction

医生是以疾病为导向的。

我们研究疾病。

我们寻找疾病。

我们接受过药剂学训练来治疗疾病。为了治疗疾病，我们了解我们所使用的药物。在医学院里，我们研究药理学，知道身体如何吸收每种药物，知道身体在何时及以何种方式排泄它。我们知道哪些药物能通过干扰一些特定的化学反应过程来达到其疗效。我们知道这些药物的副作用，并且会仔细地在疗效和任何潜在的危险之间进行权衡。

医生们了解他们的药物，因此开处方时不会犹豫不决。想一下我们的高血压、高胆固醇、糖尿病、关节炎、心脏病、中风和抑郁症病人正在服用的药物种类吧，而这仅是其中极小的一部分。人们在与传染病做抗争的过程中发现并开始使用抗生素，我们的医学原理随之变为：攻击疾病。

医学界把这种攻击性的态势和方法带入了 21 世纪，试图治疗所有这些各式各样的慢性退性行疾病。1997 年进行的一项研究显示，仅美国药房供应的零售处方就有 250 万张。处方药物的销售额在过去的 8 年中已经增加了一倍！

1990 年，美国人在处方药物上消费了 377 亿美元。1997 年这项消费增加到789亿美元。处方药物成为过去十年中保健消费增长最快的部分，增长率为每年17%（远高于通货膨胀率）。医生和保险公司将他们所有的希望都寄托在药物上，以应付和减缓慢性退行性疾病的流行——而这当然正中医药行业的下怀。是的——我们热爱我们的药物。

我至今还没有碰到过一个不希望自己非常健康的人。我们多数人都假设自己一直都很健康。但是，事实上我们许多人（包括医生！）每天都在失去我们的健康。我知道这一点，因为保健就是我的工作。我的职业生涯中每天都要告知病人他们在这一方面或者那一方面失去了健康。一位病人可能得了糖尿病或者慢性关节炎。另一位病人可能刚刚经受了一次心脏病发作。还有一位可能要被告知他患了扩散性癌症，只能再活一两个月了。每个人都希望保持或者重新获得健康，但是并不总是知道应该如何去实现这个目标。

由于医生们是以疾病和药物为导向的，所以我们把大多数的时间和精力放在识别疾病过程，以便为我们的病人开药或者制订治疗方案。即使耶稣也曾说过："需要医生的不是健康的人，而是有病的人。"

然而作为常识，保持健康总比失去以后再去重新获得要来得容易。预防疾病应该是任何一位医生的首要工作。不过当你希望知道最好的保护你的健康的方法时，你实际上找的是谁呢？你的医生有没有向你提供这一信息呢？医学界为"预防药物"说了大量的好话，甚至把它最大的医疗保险计划称为HMO（健康维护组织）。从各方面看来，预防药物都是我们的首选。

然而只有不到1%的保健资金被用在这些所谓预防药物之上。实际上我们的预防药物计划主要是试图更早地检测出疾病。例如乳房X光造影、生化检查和PSA检查（前列腺肿瘤）的目的都是为了尽早发现问题或癌症。医生想知道你是否胆固醇过高，是否患有糖尿病或高血压。但是他们很少花时间去帮助病人了解必须如何改变生活方式以保护他或她的健康。医生们总是忙于治疗他们每天面对的各种疾病。

你有没有意识到只有不到6％的本科医生接受过正规的营养学培训？而我可以断言几乎没有医生在医学院内接受过关于营养补充方面的培训。对我来说这是完全真实的。

对医生来说，没有什么比他的病人问他是否应该补充什么营养更加难堪的情况了。过去我习惯于给他们所有那些格式化的答案："这都是骗人的。""维生素只能使你的尿液更贵。""只要饮食得当，你就可以获得所有必需的营养成分。"如果我的病人还要坚持询问，我就告诉他们一些可能对他们无害的营养补充,但他们应该选用他们能找到的最便宜的，因为维生素很可能也帮不了他们多少。

也许你已经从你的医生那里听到过同样的说法。在我临床工作的前23年里，我完全不相信营养补充。但是在过去7年里，我在经过对最近发布的医疗文献进行研究的基础上重新考虑了我的观点。我的发现是那么的令人震惊，我改变了我的医疗实践方针。我转变了。

为什么没有其他医生像我一样对待营养学？首先,为了保护病人免受任何可能有害健康的方案或产品的影响,医生必须随时保持怀疑的态度。相信我吧，我见过许多兜售给我的病人的骗术和把戏。医生必须在以双盲对照控制法（double-blind，placebo-controlled）为指导的临床实验基础上进行科学研究（临床医学标准）。

由于我知道这是最直接有效的证据，所以我在本书中介绍的都是临床实验结果。我在这里提供的多数医疗研究并不是来自小报或其他参考文摘。事实上,我对一些广受医学界尊崇的可信的主流医学杂志进行了刻苦的研究，例如《新英格兰医学期刊》(New England Journal of Medicine)、《美国医学会杂志》(Journal of the American Medical Association)、《英国刺针杂志》(British Lancet) 等等。

医生们不愿意接受营养补充主张的另一个原因是因为多数从业医生对退行性疾病的病因并不完全理解。他们认为这是生物化学家或者科学研究者感兴趣的课题，但是还没有在临床医学中进行实践。科学研究者与从业医生之间存在着一道很明显的隔阂。即使科学研究者在这些疾病的根由上获得了惊人的发现，仍然很少会有医生把这一知识用在他们的病人身上。医生们只会坐等病人罹患这些疾病以后再开始治疗。

医生们看上去满足于让制药公司研发新的药物，决定新的治疗方法。不过正如你将从本书中看到的那样，实际上我们自己的身体，而不是这些药物导向的医生们开出的处方才是预防慢性退行性疾病的最佳保护。

虽然多数医生尚未了解本书介绍的概念，但是事实是不容否认的。因为我已经在治疗病人时采用了这些原则，而结果是非常令人吃惊的。我已经让许多患有多发性硬化症的患者摆脱了轮椅重新行走了起来。我帮助许多心脏病患者免除了心脏移植的必要。一些癌症患者已经痊愈；视网膜黄斑变性患者的视力获得显著改善；肌肉纤维痛患者又重新恢复了活力。营养药物是很容易理解的、主流的预防药物。

在这个生物化学研究时代，我们现在已经能够判断每个细胞的每一部分正在发生的事情，也正在了解每种退行性疾病的本质。因此，我向那些愿意客观地对待医学证据的医生们推荐这本书。

如果你是病人，不要期望你的医生们会立即改变他们的观念。医学领域看好维生素。如我所说，你的医生所不知道的正是我花了 7 年的时间，亲自对有关营养药物的医学文献进行研究才得出的结果。我也并不是立即信服的。

多数医生与其他人一样对营养药物感到陌生；这是事实。但是可以肯定的是：你的医生对营养药物的无知可能会把你引向死亡。好的消息是要开始使用营养药物，你并不需要成为医生；你，作为一位病人，也可以主动的保护自己的健康。

一个转变了的医生

我知道你也许从未听说过我。为什么你要听从一个美国中西部小城市的医生的意见呢？这个问题问的好！正是因为如此，我希望你阅读本书的每一页。我希望你能经历一个与我相似的历程。让我向你展示那些令我相信补充维生素可以保护和改善健康的医学证明吧。

请你一定要阅读或者至少翻阅一下全书。我知道你可能会想先跳到讨论你的健康问题的章节。不过很重要的一点是，你应该意识到你身体运作的基本信息和应该如何去自我保护，从而改善或维持健康。

我还有最后一个请求：由于受威胁的是你自己的健康和生命，所以我建议你听完我的意见，不要急于下结论。我只希望你是一个思想开放的怀疑论者 ——一个像最初发现预防药物神奇功用时的我一样的探索者。虽然我当时已经是一名好医生，我还是必须谦逊地认为我还应该学习更多的关于健康的知识。你是否也愿意这么做呢？

BEFORE YOU BEGIN 第一部分

开始之前

第1章 我的转变

第2章 生命太短，死亡太长

第3章 体内的战争

第1章 我的转变

当时，随着我妻子的健康不断地恶化，我的心情低落到了极点。但是我不仅是一个焦虑的丈夫；我还是一名医生。作为一名有着30多年经验的医生，我习惯于回答各种医学问题。从科罗拉多大学医学院毕业，并在圣地亚哥墨西（Mercy）医院完成了研究生学习后，我就在南达科他州西部的一个小城市里成为一名成功的家庭医师。期间我遇到了莉斯（Liz）并与她结了婚。她有一些健康问题，但是莉斯坚信只要她嫁给医生，她的健康就能改善。她错了！

不久以后，我们的家庭增添了3个不到4岁大的孩子，繁忙的莉斯变得更加虚弱了。每个带孩子的妈妈都是很累的，但是莉斯看来却是不同寻常的疲劳。虽然她只有30岁，但是她告诉我她感觉自己已经60岁了。

随着时间的过去，她出现了需要更多一些药物治疗的症状和健康问题。到我们结婚10周年的时候，莉斯已经疲劳得经常挪不动步子。她承受着持续的全身性的疼痛、无法抗拒的疲劳、可怕的过敏症、反复的鼻窦炎和肺部感染。

在经过了检验和判断以后，莉斯的医生最终诊断她为肌肉纤维痛。其躯体反应包括一系列的症状——其中最坏的是慢性疼痛和疲劳。

在过去，肌肉纤维痛被称为由心理问题引发的风湿病（psychosomatic rheumatism），医生们相信这种疾病的根源实际上来自于病人的精神。但是我们随后发现肌肉纤维痛其实是一种真实存在的、可以测量的疾病——我在看到我的妻子所受的痛苦之后就能确信这一点。

为了能够继续坚持她所热爱的事业：训练和驾驭马匹进行马术表演，莉斯愿意去做任何尝试。但是当时她的疼痛和疲劳剥夺了她与心爱的动物一起工作的时间。她变得如此的疲劳，以至于晚上8点就必须上床了，但是她还是挣扎着去完成一些基本的家务劳动。

由于肌肉纤维痛是无法根治的，我所能做的事情只是让莉斯用持续的药物治疗来减轻她的症状。我让她在晚上睡觉时服用阿密曲替林来帮助睡眠，服用抗炎药物来减轻疼痛，服用松弛肌肉药物，使用吸入药物抑制她的哮喘和花粉症，服用特非那因来治疗她的过敏症，而且最后不得不每周带她去打抗过敏针。虽然经过我的努力，服用了所有这些药物，但是她的健康状况还是在逐年恶化。

1995年1月，莉斯和我讨论后认为多做锻炼可能对我们彼此都有帮助。我们开始增加体重并且制订了一个新年计划来恢复健康。莉斯很努力，但是结果却适得其反。一次接一次的感染使她一直病痛不已，而且抗生素也往往不起作用。

3月份的时候，她得了一场严重的肺炎。她呼吸非常困难，因为一侧肺叶已经完全感染而被堵塞。负责治疗她肺部的医生们非常担心它无法治愈，甚至可能需要进行外科手术进行摘除。我们咨询了一位传染病专家，他给莉斯使用了静脉抗生素注射、类固醇和喷雾治疗。幸运的是，肺炎终于在两周内痊愈了。但是她的咳嗽却一直不断，而且她还不得不持续进行了数月的大剂量药物治疗。

但是最让人担心的还是她的疲乏症状现在已经发展得更加严重了。莉斯每天只能下床活动大约2个小时。她的哮喘和过敏也很严重，她只能偶尔走到马棚去看一下她的马。莉斯病得如此严重，孩子们只得轮流休学呆在家里照顾她。长期卧床使她连看电视或者阅读也感到非常虚弱。虽然我在外表看来还是专业人士，但是内心却变得越来越绝望。

我拜访了几次肺病专家和传染病专家。他们向我保证他们已在诊断莉斯时尽了最大的努力。当我问及她多久才能康复时，答案是6到9个月——或者也许永远都不能康复。

就在这个时候，我们家的一个朋友告诉莉斯，她的丈夫也曾经得过那么严重的肺炎和经历过明显的疲乏。他使用了一些营养补充药物，这些药物使他重新获得了力量。莉斯和她的朋友意识到我反对维生素补充疗法，所以莉斯知道她在试用它们之前要获得我的支持。但是，当她咨询我的意见时，甚至我自己也惊讶于自己的回答："亲爱的，你可以尝试任何你想做的事情。我们这些医生显然对你没有任何帮助。"

[把假设付诸实践]

说实话，我当时对营养或营养补充几乎一无所知。在医学院的时候，我在这方面没有接受过任何有意义的指导。我并不是一个特例。在美国，只有大约6%的本科医生接受过营养学的培训。医科学生可以选修这一课程，但实际上并没有多少人这么做。正如我在《介绍》部分所说的，多数医生的教育都是疾病导向的，而且非常强调药剂学——我们学习药物，学习为什么和在什么时候使用它们。

由于人们尊敬医生，他们假定我们这些医生在与健康有关的任何问题方面都是专家，包括营养学和维生素。在我改变对营养药物使用的看法之前，我的病人经常问我一个同样的问题——"你是否相信服用维生素能改善我们的健康"。他们购买了各种各样的营养药，然后带到诊所来让我检查。我会皱皱眉毛，然后用我最机敏的职业表情仔细地检查上面的标签。我会把瓶子还给他们，然后说这东西对他们完全没有帮助。

我的动机其实是好的：我只是不希望人们浪费他们的金钱。我原来的确相信这些病人不需要补充营养，相信他们能从合理的膳食中获得所有的维生素。毕竟，这就是我从医学院学到的东西。我甚至会引用一些医学研究来证明服用某些维生素可能会导致危险。但是我没有告诉我的病人，我并没有花上哪怕一分钟的时间去考虑那些数以千计的，已经证实了营养补充对健康有益的科学研究。

但是，我该拿我病重的妻子怎么办呢？我在办公室里也许还能保持职业的魔力，但是在家里，我只是另一个随着妻子的日益衰弱而看上去完全无助的丈夫。我实在没有什么选择，所以我对莉斯说："开始干吧，试一下维生素。你还有什么可失去的呢？"

第二天，她的朋友买了许多维生素药物来到我家——主要是抗氧化剂：例如维生素E、维生素C和β胡萝卜素等可以保护身体免受氧化损伤的营养药物。莉斯急切地把它们吞了下去，还喝了两杯保健饮料。让我吃惊的是，不到3天的时间，她就明显感觉好多了。我为她而感到高兴，但是同时也很不解。随着时间的推移，莉斯获得了更多的精力和力量，她甚至能够很晚睡觉了。坚持3周吞服了许多药片和喝掉了许多看上去很奇怪的饮料以后，莉斯感觉非常良好，所以她停止了服用类固醇和喷雾治疗。

3个月过去了，一切都在逐渐改善，莉斯的健康完全没有倒退的迹象。她多年以来都没有这么强壮，并且散发出全新的生命力。当她训练和照顾完马匹回来的时候，我看到了她双眼中闪现的光芒。她不仅能够完成马棚中的工作，甚至不再对干草、麦芒和尘土过敏。她不再一吃晚饭就瘸着腿爬上床，而是直到半夜十一、二点才去睡。现在轮到我变成最早上床的了。

这是怎么一回事？我完全目瞪口呆了。如果我没有亲身经历这一转变，我是永远也不会相信的。当一切医疗手段和药物都无效的时候，难道这些"怪异的维生素"真的有可能使我的妻子恢复了健康吗？莉斯不仅两侧肺叶都已从肺炎中康复，而且她的肌肉纤维痛的症状也得到了戏剧性的改善。由于肌肉纤维痛的确是无药可治的，那么这到底是怎么回事呢？这到底是上帝制造的奇迹，还是说莉斯最近重获健康是由于那些

——令人可怕的——营养补充呢？作为一个接受过医学训练的人，我很自然地做出了下列举动：我决定亲自去进行自己的临床实验。我检查了自己的医疗记录，找到了5名病情最严重的肌肉纤维痛患者并约他们来我的办公室。（一位医生约见病人——情况真是完全反过来了。）我把莉斯的故事都告诉了他们，并且建议他们考虑补充营养。我告诉每位病人，我不确保这种"参考疗法"真的有效，但是的确值得一试。

典型的肌肉纤维痛患者都是非常绝望的，所以我的5位实验对象都非常积极配合。经过大概3到6个月的一段时间之后，所有这几位病人都反应说补充维生素以后病情得到了改善。并不是每人都像我妻子那样戏剧性地重获了健康，但是他们都受到了鼓舞，充满了希望。

这些妇女中有一个病例非常严重。她曾经向梅约医院（Mayo Clinic）和其他两家疼痛专科医院寻求救助，但是由于肌肉纤维痛的确没有有效的医疗手段，所以她无法得到根本性的解脱。一年以前，病痛给她带来的折磨曾使她企图自杀。现在，在服用了这些维生素以后，她给我家打了一个电话并在答录机上留了一个口讯。她在说话的时候明显是泪如雨下的："斯全德大夫，感谢你拯救了我的生命。"

每个医生都喜欢听到这种话。但是，在这些病人身上到底发生了什么呢？因为我知道仅仅对5名病人进行的初步研究不足以对营养补充做出科学的判断，所以我需要进行更深入的研究。

[我对营养补充的研究]

一周之后，当我在书店浏览的时候，我发现了肯尼斯·库珀（Kenneth Cooper）医生写的一本书，书名是《抗氧化的革命》（The Antioxidant Revolution）（Thomas Nelson, 1994）。由于我一直景仰库珀医生在有氧运动和预防药物方面的权威，我对他在抗氧化方面的观点很感兴趣。库珀医生解释了一种被称为"氧化压力"的过程，他认为这就是慢性退行性疾病的根源 ——这类疾病实际上是困扰着当今人类社会的最大问题之一。我贪婪地阅读了整本书。

我们都知道氧气是生命的要素。但是氧气对我们的生存也有着与生俱来的危险。这就是所谓的"氧气悖论"。科学研究已经证明氧化压力，或称由自由基导致的细胞破坏，是超过 70 种慢性退行性疾病的根本原因。诱发冠心病、癌症、中风、关节炎、多发性硬化症、阿滋海默症和视网膜黄斑变性等疾病的原因，与钢铁生锈和切开的苹果变黄的原因是一样的。

的确如此：我们的身体内部确实是在不断的被锈蚀。我所提到的所有这些慢性退行性疾病都是由于氧气的毒性作用直接导致的。实际上，氧化压力就是老化过程背后的主要原因。除此以外，我们的身体还在不断地承受着来自空气、食物和水源的污染。如果我们不抵消这些过程，其结果就是细胞的退化，并且最终诱发疾病。所以本书揭示的真理对我们的健康非常重要。

得知我们的身体是如何不断的遭受着氧化压力的侵蚀后，我对慢性退行性疾病的看法发生了戏剧性的改变。例如，由于氧化压力的确可以造成细胞 DNA 核变异，那么它很可能就是癌症的罪魁祸首。这使得通过抗氧化预防癌症的可能性大大提高。由于氧化压力还能导致关节炎、多发性硬化症、红斑狼疮、视网膜黄斑变性、糖尿病、帕金森氏综合征、克罗恩氏病等多种疾病，营养补充同样也可能帮助我们治疗和控制这些疾病。

在他的书中，库珀医生记录了在他达拉斯的有氧中心进行的一些研究，研究的目的是找出"超负荷训练综合征"的原因。意外的是，库珀医生发现有些过度训练的运动员最后都出现了严重的慢性疾病。他们都表现出一些氧化压力的症状，而超负荷训练综合征的一些症状也与那些肌肉纤维痛患者的症状惊人的相似。

我开始怀疑，氧化压力是否有可能也是导致肌肉纤维痛的直接原因呢？这是不是我的妻子和我其他几位病人在服用了高品质的抗氧化剂之后慢慢好转的原因呢？

　　这标志着我对氧气"黑暗面"研究的开始。我对库珀医生的观点非常着迷，并且决定检验他所列举的研究。我开始搜集一切我能找到的主流医学文献中与氧化压力有关的内容。

　　仅在过去一年中，我就查看了超过1300项同行评审（peer-reviewed）的医学研究，研究内容是营养补充及其对慢性退行性疾病的影响。这些研究采用的是医生们喜欢的双盲对照控制法。绝大多数研究结果表明，采用最佳剂量的营养补充可以对病人的健康状况起到明显的帮助，而这些最佳剂量都是远远高出 RDA（每日建议用量）水平的。

[维生素与你]

　　一旦理解了日常生活中氧化压力对我们的身体有多么巨大的危害，你就会意识到优化我们自身天然的防御系统的重要性。你的健康和生活完全取决于它。通过我的研究，我认识到对这些疾病的最坚强的防御就是我们天生的抗氧化系统和免疫系统。它们比我能开出的任何药方更为重要。

　　在把营养补充剂作为补充药物而不是可选药物之后，我对结果进行了研究，并得出了结论。实际上，营养药物可能是传统药物中效果最好的，因为它才是真正的预防药物。补充营养并不是为了根治疾病；而是为了促进健康和活力。

　　在检查了医学研究结果之后，我完全相信我的病人中那些服用了高质量营养补充剂的病人，健康状况要优于那些没有服用的人。虽然病人可能会有特定的健康问题，但是在推荐补充营养时，我并不一定会去医治那种特定的疾病。我只是让这位病人按照医学研究得出的符合健康要求的最佳剂量去补充营养。我把这种保持健康的方法称为细胞营养（cellular nutrition），它使我们的身体能够完成任何上帝希望我们去做的事情。

我在这本书里记录的个案都摘自我办公室的病历。我修改了一些名字以保护病人的隐私，但是其中许多故事里的病人和朋友们都愿意在此与你分享其中的每一个细节。在这些故事里，你会发现一些真实事例，知道我所介绍的这些重要观点是如何被他们应用的。

莉斯就是我最好的病例。顺便说一下，她的健康状况仍然非常良好——虽然她嫁给了一个医生！现在她不再长时间的病痛和卧床，而是过上了完整的梦想的生活。她有足够的精力去享受做妻子和母亲的乐趣。而且她对训练和展示马匹的热爱已不再是期望，而是变成了现实。

想对这些神奇的预防药物了解更多一些的话，继续读下去吧。

第2章 活得太短；死得太长

当我们步入 21 世纪的转折点时，医生和医学工作者们特别注意到美国和工业化国家的健康和医疗状况。回顾过去的一个世纪，人类对疾病的战果是非常显著的。20世纪初期，人类最主要的死亡原因是传染病。当时美国四大死亡原因是肺炎、肺结核、白喉和流感，人均寿命只有34岁多点。但是感谢 20 世纪后半叶抗生素的发明和发展，即使在 20 世纪80年代艾滋病流行之后，由于传染病而导致的死亡率也得到了大幅度的下降。

步入 21 世纪之后，我们发现人们主要承受着慢性退行性疾病的困扰，并且往往死于这些疾病。它们包括冠心病、癌症、中风、糖尿病、关节炎、视网膜黄斑变性、白内障、阿滋海默症、帕金森综合征、多发性硬化症和风湿性关节炎等等。名单远不止这些。

虽然在过去的一个世纪中，美国的人均寿命已经得到大幅度的提高，但是我们的生活质量还是受到这些慢性退行性疾病的严重影响。著名的免疫学家和微生物学家迈而仑·温特兹医生（Myron Wentz）医生在他的一次讲座中描述到，我们实际上是"活得太短；死得太长"。温特兹医生还帮助我了解到氧化压力对我们健康危害的严重性和细胞营养的重要性。

[敲响警钟]

人均寿命

你希望自己能活多长？让我们暂时抛开生活质量不谈（许多关于寿命的许多调查研究正是这么做的），先想一下在人均寿命和卫生保健方面，美国与世界上其他工业化国家相比情况如何。衡量一个国家医疗保健系统水平最根本的方法之一就是看一下该国的死亡率。

在人均寿命方面，20世纪50年代美国在最发达的21个工业化国家中排名第七。正如你所估计的，从那时开始，我们在卫生保健方面花的钱就已经远比世界上任何一个国家都要多。1998年，我们在医疗保健方面花费了1万亿美元，大约占我们国民生产总值的13.6%。这个数据已经比排名第二的国家高出一倍不止。我们有MRI和CT扫描仪、血管成形术、搭桥手术、全套的人造髋关节和膝关节、化学疗法、放射疗法、抗生素、先进的外科技术、先进的药物和重症护理。那么我们所有这些先进的医疗到底有没有提高美国的人均寿命呢？

1990年，与40年前相同的21个工业化国家相比，我们的人均寿命已经落到了第二十一名。虽然美国人已经在医疗保健方面花费了上万亿美元，我们现在却被视为人均寿命最短的工业化国家之一。当我们考虑到美国人能活多长，或者说是多早死亡的时候，我们所宣称的世界上最好的卫生保健系统实际上却是几乎最差的。

我问你希望自己能活多长，但是现在想象一下你生命最后的20年里会是怎样的吧。你花的钱值得吗？我不这么认为。

生活质量

我可以向你保证，今天我的病人们已经不再那么关心他们能活多少个年头，就像他们以前不那么关心他们的生活质量一样。你呢？在评估我们的医疗保健水平时，我们能活的年数往往已经不再是最重要的考虑。如果因为得了阿滋海默症而连自己最亲近的家人也不再认识的时候,谁还愿意活到老死呢? 谁会希望自己由于退行性关节炎而忍受剧烈的关节痛或背痛呢? 我们的国家空前地受着帕金森氏综合征、视网膜黄斑变性、癌症、中风和心脏病的威胁。看上去已经不再有人是因为年迈而死亡了。

超过6000万的美国人都患有某种形式的心血管疾病(与心脏和血管有关的疾病);超过1360万人患有冠心病。虽然在过去的25年内,心血管疾病的死亡数字已经有所下降,但是在美国它仍然是导致死亡的首要原因。每年有150万次心脏病发作,其中有大约一半,或者说超过70万次导致了死亡。可惜的是,这些死亡有大约一半是发生在心脏病发作后的一个小时之内,病人根本来不及被送往医院。超过30%的心脏病案例的首要表现就是突然死亡。这使得我们没有什么时间来改变生活方式。

虽然我们已在癌症研究和治疗方面花费了巨额资金,但是在美国,癌症还是排名第二的死亡原因。1995年,癌症的死亡数字是53700人;在过去的30年中,死于癌症的人数还在稳定增长。

美国在过去的25年中已经花费了超过2500万美元进行癌症研究,但是癌症死亡人数根本没有相应降低。如果说在癌症治疗方面已经取得了最伟大的进步,那只是说我们对某些癌症能够更早地进行诊断 ——而并不是说我们的癌症治疗手段已经很令人满意或者说已经过于有效了。

我的病人中有的患有一种名为视网膜黄斑变性的能影响视力的慢性病,他们在每半年去拜访一次眼科医生的时候所做的事情只是继续预约下半年的复诊。他们得知医生所能做的事情只是记录他们的病情发展,这令他们非常沮丧。有的情况下激光治疗可能会起到些许疗效。

如果你爱的人得了阿滋海默症,你肯定会强烈地感受到治疗的徒然。看着父母慢慢地丧失心智,完全地迷失在自己身体中,这是一件极度痛苦的事。

现在已经到了重新开始的时候了。如果我们医生能够诚实地面对自己,我们就必须承认自己为许多这些病人提供的治疗方案是没有多少用的。我们不能像攻克传染病那样去攻击这些疾病。现在的医生和病人们都同样必须长期和密切地关注他们的医疗保健。

[预防药物]

让我不安的是,我发现当今绝大多数病人都认为得一两种慢性退行性疾病是在所难免的。他们把现代药物看成救星,认为就医就能痊愈。可悲的是,只有在他们得病以后才会发现我们的治疗方法实际上是多么的无效。

当二战后出生的人们步入 50 岁以后,我相信越来越多的人们会更加积极地对待他们的健康。

上个月,我的一位好友告诉我,他只想活到死去。你是否也是这么想的呢? 我是肯定希望如此的。在从事医疗工作30多年以后,我对慢性退行性疾病将给我和我的病人带来的痛苦深感不安。

这就是我写这本书的原因;这也是我提倡预防而不是事后治疗的原因。不过我需要对我所说的预防做出一个定义。

传统的预防药物 (早期诊断)

医疗保健行业在推广预防措施方面常常自我标榜。但是你有没有对他们的方法深加思考呢? 医生们当然鼓励病人进行常规检查以保护他们的健康。但是仔细看一下医生们的帮助建议,你很快就会明白他们想做的只不过是尽早地发现疾病。想一下吧。如我所说,医生们常规地进行巴氏涂片检测、乳房 X 光造影、血液检查和身体检查的目的只是为了发现病人身上已经存在的不明显的疾病。他们预防了什么?

显然,越早发现这些疾病对病人越好。但是我在这里要强调的是,医生和医疗保健行业实际上并没有花什么时间和精力去教育病人如何保护他们的健康。换句话说,医生们只是太忙于治疗疾病,而没有时间考虑如何教育病人采用能够事先预防退行性疾病的生活方式。

真正意义上的预防药物

如果我们要把什么东西称为预防性的，那么我觉得它就应该真正能够预防些什么。我强烈建议真正意义上的预防药物应该包括鼓励和支持病人采取下列三个步骤：健康饮食、坚持锻炼和服用高品质的营养补充。

使病人能够事先预防这些主要疾病才是真正的预防。这是否需要病人的积极配合呢？这是当然的。但是多数人只有在他们真正意识到他们在哪方面受到了威胁之后，才会非常愿意改变他们的生活方式。

[健康生活的要素]

1、运动

我们已经忘记了"受体"，也就是我们的身体本身就是抵抗疾病最强有力的防御工事。我发现肯尼斯·库珀医生是疾病预防领域中最优秀的医生之一。他在20世纪70年代初期就已经打造了有氧运动的概念并开始积极推行。

我们今天都已经视为真理的事实在30年前是要经过医学验证的。我还记得当时医生们对是否应该建议他们的病人进行体育锻炼而展开的辩论。库珀医生坚持他的看法并且不断地宣传病人能从体育锻炼中得到的帮助。20世纪70年代末期，多数医生都已同意库珀医生的看法，开始鼓励病人进行适度锻炼。

20世纪80年代初期，美国医疗总署发表了一项声明，列举了适度锻炼能对身体健康带来的各种好处。这些好处主要包括：

· 减轻体重
· 降低血压
· 增强骨质，减少骨质疏松症的可能性
· 提高"好的"低密度脂蛋白水平

· 降低"坏的"高密度脂蛋白水平

· 降低甘油三酸酯（脂肪）水平

· 增强体能和协调能力，减少因跌倒而带来的危险

· 提高胰岛素敏感度

· 增强免疫系统

· 增加整体舒适感

看一下这些好处就可以相信：任何一个选择了进行适度体育锻炼的人都做了一个重要的选择以避免许多不同的疾病。

2、健康的饮食

饮食习惯应该如何呢？医生们也已经发现采用包括每天至少7客水果和蔬菜的低脂肪食谱的病人在健康方面更为得益。这些好处包括：

· 减轻体重

· 降低得糖尿病的可能性

· 降低得心脏病的可能性

· 降低患上各种癌症的可能性

· 降低得高血压的可能性

· 降低出现胆固醇增高的可能性

· 增强免疫系统

· 提高胰岛素敏感度

· 增加活力和集中注意力

让我们正视它吧：健康的饮食只有好处！

3、营养补充

根据我在过去7年中研究了的医学文献，我非常相信服用高品质的

营养补充可以显著改善健康状况，即使你现在仍然非常健康。我在这里简单列举一下营养补充对身体健康的帮助：

· 增强免疫系统
· 增强抗氧化系统
· 降低得冠心病的可能性
· 降低得中风的可能性
· 降低得癌症的可能性
· 降低得关节炎、视网膜黄斑变性和白内障的可能性
· 有可能降低阿滋海默症、帕金森氏综合征、哮喘、阻塞性肺病和许多其他慢性退行性疾病的可能性
· 有可能提高一些慢性退行性疾病药物的临床疗效

如果病人开始坚持锻炼，健康饮食并且摄取维生素的话，他们的高血压、糖尿病和胆固醇过高的问题是否可能改善，而不再需要吃药了呢？医学杂志是支持这种看法的。

几乎所有的医生都同意病人在开始服用药物治疗这些慢性病之前应该尝试改善生活方式。但是事实上，多数医生只是坐在办公室里口头描述一下所谓的好的生活方式，而没有真正的指导病人应该如何去做。因为医生们通常都会假设大多数病人永远也不会改变他们的生活方式，所以唯一的救星就是医生们开出来的药物。当医生一诊断出病人得了高血压、糖尿病或者胆固醇过高时，他就会马上着手开处方。

[给病人一个选择的机会]

在过去的七八年间，我采用了另外一种态度：我把药物当作最后一招而并不是第一选择。我惊讶地发现实际上有那么多病人在哪怕还有一

点希望可以不去吃药的时候，宁可选择更积极地去对待他们的健康。噢，当然，我也碰到过一些不考虑改变生活方式的病人。对他们，我还是得用药物。

还有一些病人的病情已经非常严重，所以我必须立即对他们开始药物治疗。但是我也告诉他们如果改变生活方式的话，随着时间的推移，他们仍然有可能减少甚至停止使用药物。

每个人都知道适当运动和健康饮食对健康的好处。但是，没有什么人（尤其是医生）知道服用高质量营养补充对健康的好处。我说过，我曾经就是这些没有见识的医生中的一员。但是无数的研究已经证实健康饮食、适当锻炼和补充高质量营养这三者的组合才是保护你身体健康的最佳方法。这也是你在失去健康后想要重新获得的最佳方法。

[大卫的故事]

让我们用事实来说话吧。大卫的大半生都是犹他州的一名驾照考官，他与妻子和孩子们都住在这里。大卫的身体一直很健康，从来不用吃药。但是 20 世纪 90 年代初期，他开始发现他的腿部开始异常地虚弱无力。1990 年春天，他必须拖着腿走路，而且经常摔跤。他到处求医，一位神经科专家最终诊断他患了一种罕见的白质脑病（leukoencephalopathy）。

我相信大卫听到这种疾病时的反应与你一样：这是什么东西？神经科专家告诉他，这是一种进行性的、慢性的、能够使神经脱离髓鞘的脑病，与至今没有办法医治的多发性硬化症颇为相像。医生告诉大卫他基本没有希望了——这种病通常会持续恶化直到死亡。

大卫被这一噩耗击垮了。他绝望而震惊地回到家里。他从来没有听过这种疾病，现在它却要夺取他的生命了。正如医生所说的那样，大卫变得越来越虚弱。他开始头晕，并且开始无法控制大小便。到了 1993 年春天，大卫只能坐在轮椅上了。到了 1995 年 6 月，大卫的腿疼得非常厉害，医生只能让他服用吗啡。他的一切都必须依赖妻子和孩子。生活对他已经丧失了意义。

1995年11月，大卫得了一次严重的流感。大卫变得更加虚弱，他的腿和手臂变得冰冷，仿佛已经停止了血液循环。医生告诉他和他的家人，他已经不大可能恢复了。由于根本的原因是这种白质脑病，他们估计他还能再活一两个星期。

大卫之前已经加入了收容计划（Hospice Program），他可以选择呆在家中。他和他的家人开始筹备丧事了。大卫在向家人和朋友道别的时候，因为即将失去所爱而充满了悲痛。虽然他早在几年之前就已经接受了即将死亡的现实，但是正如医生们所预测的，这个时刻终于来临了。

但是大卫还是熬过了圣诞节。虽然他不能起床，但是他没有死。

几个月后，大卫决定尝试补充一些营养。他开始服用一种抗氧化药片、一种矿物质药片和一些葡萄籽精华素。不到5天，他就发现自己睡眠减少了，而且感觉更有精力了。在摄取营养补充数周之后，他已经可以不时下床了。实际上，到了母亲节的时候，他的孩子们已经可以把他推到花店去像以往一样为他的妻子和母亲采购礼物了。在服用了一段时间之后，大卫变得越来越强壮，并且因此重新获得了希望。

大卫还记得1996年夏天看过的电影《罗伦佐的油》（Lorenzo's oil）。电影里的小男孩罗伦佐也得了一种与大卫相似的脑病。看着电影的时候，大卫惊奇地发现罗伦佐的治疗方法中最重要的，而且实际上看上去正是阻止了病情恶化的一部分就是葡萄籽油。大卫意识到他自己使用的葡萄籽精华素很可能就是使他显著改善的主要因素。他很快发现这种精华素是一种非常有效的抗氧化剂，可以被大脑中的液体迅速吸收。

大卫开始增加葡萄籽精华素的用量，并且继续坚持使用其他抗氧化剂和矿物质，他的健康状况获得了惊人的改善。他腿部的疼痛开始消失，并且已经能够重新行走了。他腿部的力量慢慢加强。大约两个月后，大卫在3年来第一次独自走进教堂。他走路的时候仍然拖着腿，但是他毕竟已经在行走了！

大卫的医生不再让他使用吗啡，并且记录下了这位病人的好转。虽然这名医生还是无法相信，但是他也无法否认这一事实。大卫最大的成就是他能够重返考场并且的确通过了驾照考试。在考了别人这么多年以后，他终于又能重新自己驾驶了。

大卫仍然患有这种病。他没有痊愈。但是，是他，而不是这种疾病在掌握着他的生活。他走路的时候仍然有点滑稽，但是他并不介意。每次看到大卫的时候我都会微笑起来。看着他的进步是件很快乐的事情。他使我相信使用营养药物能为各种健康状况的病人带来希望的众多原因之一。

※ ※ ※ ※ ※

在这一章里，我们讨论了美国医疗保健的方法。你是怎么想的呢？你是否害怕变老？你是否认为慢性病痛在你生命中是不可避免的？你是否愿意为了维护健康而对生活方式做一些必要的改变？我相信人们的体质不一定过了40岁就开始下降。我相信你生命的每一年都能过得最好。是时候去停止"活得太短；死得太长"的现状了！但是，首先你必须理解那场正在我们每一个人身体内部进行的战争。

我们将在下一章中讨论这一话题。

第3章　体内的战争

　　背往后靠坐，闭一下你的眼睛，把注意力集中到你的呼吸上。放松肩膀，尽量深吸气，然后缓慢地释放肺里的空气。

　　如此反复做几次。吸气的时候感觉你整个身体都在膨胀，一直到脚趾。停一下，然后慢慢地吐出。感觉很好，不是吗？进入我们肺里的空气给我们带来生命。当我们在有氧运动或者奔跑中加快呼吸节奏时，我们会感到神清气爽，甚至会有一种快感。

　　作为一个医生，我喜欢想象自己身体内部细胞层正在发生的事情，氧气通过我的鼻子进入我的肺里。生命就像一个复杂的神奇的熔炉，尤其是在每一次呼吸的时候，使我的肺里充满了富含氧气的新鲜空气。随后氧气分子通过肺泡薄薄的细胞壁进入流经的血液。它在这里附着到我血液中的血色素上，我跳动的脉搏把这些刚经过氧化的血液传输到我身体的各个部分。随后血色素释放氧气使它进入身体细胞产生能量和生命力。

　　我们身体的每个细胞里都有一种称为线粒体的熔炉。想象一下你坐在一个熊熊燃烧的温暖的炉火前。大多数时候它都烧得很安全很平静。但是偶然也会蹦出一个炉渣落在你的地毯上，并在上面烧出一个小洞。

仅仅一个炉渣不会带来太大的威胁；但是如果这种火星月复一月年复一年地蹦出，你炉子前面的地毯就会变得千疮百孔。

同样，细胞中这种精微的有机体——线粒体，可以通过转移电子释放氧气，从而产生以ATP形式存在的能量，并生成副产品——水。这一过程在98%的情况下都是精确无误的。但是并非总是能把4个电子都转移以释放氧气变成水，因此，"自由基"产生了。

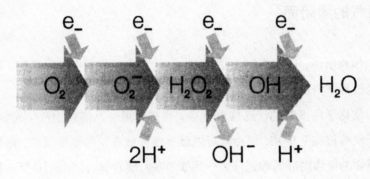

氧气还原成水的化学路径

每个从炉火里蹦出的煤渣都代表一个自由基，地毯则代表你的身体。不论身体的哪一部分受到了自由基的侵害，都是最先被破坏的，并且有可能发展为退行性疾病。如果是你的眼睛，你就可能得视网膜黄斑变性或者白内障。如果是你的血管，你就可能得心脏病或者中风。如果是你的关节，你就可能得关节炎。如果是你的大脑，你就可能得阿滋海默症或者帕金森综合征。随着时间的推移，我们的身体就可能会像炉火前的地毯一样：千疮百孔。

我们刚才一起想象了氧气"光明"的一面，以及它为我们带来的生命（就像炉火为我们带来的温暖），但是我们也无法否认故事的另一面。这是我们中间许多人从来都没听说过的一部分：不受约束的自由基能导致死亡，也称氧化压力。

氧化压力是几乎所有这些慢性退行性疾病的根本原因。虽然这一过程发生在身体内部,但是从身体表面的皮肤更容易观察到正在发生的氧化压力。你有没有看过几代同堂的家庭合影呢? 如果你仔细地观察他们的皮肤,你就可以看出家庭成员中年纪最小的和最大的成员的皮肤有很明显的差异。你所看到的这一效果正是由于氧化压力对皮肤的影响。同样的蜕变也正在我们身体的内部发生着。

[氧气的黑暗面]

如我所说,通过生物化学研究,我们正在意识到退行性疾病,甚至衰老过程本身的根本原因就是由自由基导致的氧化压力。

从化学角度考虑,这些自由基的强烈作用可以描述为产生光猝发。由于没有被完全中和,自由基可以触发能导致危险的连锁反应。你是否知道你的身体内部的确进行着一场战争呢? 随着氧气悄悄的日复一日破坏,一场生死攸关的战争正在进行着。要想象这场战争,我们可以根据它们在我们身体新陈代谢过程中神奇和明显的特征来定义其中一些具体的角色:

敌人: 自由基

友军: 抗氧化物质

后防支援: 营养支援——B族辅助因子 (B_1、B_2、B_6、B_{12} 和叶酸等) 和抗氧化矿物质。这就像战争中保持机械运转所必需的燃油、弹药、食物和技工支援一样。

敌军增援: 可导致身体产生更多数量自由基的条件,例如空气、食物和水源的污染;过度的压力,错误的锻炼方法等等。

流动野战医院 (MASH): 修复受伤的自由基的部队。

自由基主要是指外层轨道上有至少一个未配对电子的氧化分子或原

子。细胞内正常的新陈代谢会利用氧气生成能量（称为氧化），自由基就是在这个过程中形成的。它们带有电荷并试图从附近的任何分子或物质中吸取电子。它们的运动非常强烈，从化学角度来讲，可以在体内形成光猝发。如果这些自由基不能迅速地被抗氧化物中和，他们甚至可以产生更不稳定的自由基，或对细胞膜、血管壁、蛋白质、脂肪乃至于细胞 DNA 核心产生破坏。科学和医学文献把这种破坏称为氧化压力。

[我们的友军：抗氧化物]

上帝并没有任由我们在自由基的冲击面前束手无策。事实上，当我看到我们自身复杂而精细的抗氧化防御系统时，我很感谢上帝把我们创造得那么的奇妙而不可思议。我们实际上拥有自己的抗氧化武器，能使自由基中和而变得无害。抗氧化物质就像火炉前的篱笆或编织得非常紧密的栅栏。火星（自由基）仍然会蹦出；但是你的地毯（也就是你的身体）却受到了保护。

抗氧化物质指的是任何能够为自由基释放出一个电子，使其电子能够配对从而实现中和作用的物质。我们的身体甚至有能力产生一些自己的抗氧化物质。实际上我们的身体主要能够产生三种抗氧化防御系统：超氧化物歧化酶、过氧化氢酶和谷胱甘肽过氧化酶。能否记住这些名字并不重要，重要的是你要知道我们的确有一套天然的抗氧化防御系统。

但是，我们的肌体并不能够生成足够的抗氧化物质。其他抗氧化物质必须通过食物和你将会知道的营养补充来获得。只要有足够数量的抗氧化物质来对应已产生的自由基的数量，我们的身体就不会被破坏。但是如果已产生的自由基数量超过了抗氧化物质的数量，氧化压力就会出现。如果这种情况长时间持续，我们就可能罹患慢性退行性疾病，并开始输掉这场体内的战争。

平衡是赢得这场永不停止的战争的关键。我们必须使攻守双方旗鼓相当。要取得胜利，我们的身体必须随时准备好比自由基数量更多的抗氧化物质。

我们从蔬菜和水果中获得大多数的抗氧化物质。最常见的抗氧化物质有维生素C、维生素E、维生素A和β胡萝卜素。我们可以从食物中获得许多其他的抗氧化物质，包括辅酶Q10、硫辛酸和各种生物类黄酮。

我们必须知道这些抗氧化物质能够协同作战，在身体的各个部位淬灭自由基。就像军事防线上的不同阵地一样，这些抗氧化物质也各自担任着不同的角色。有的抗氧化物质甚至有能力重新生成其他抗氧化物质以中和更多的自由基。

例如，维生素C是水溶性的，因此最适合用来对付血液和血浆中的自由基。维生素E是脂溶性的，因此最适用于细胞壁内的自由基。谷胱甘肽最适合对付细胞内部的自由基。硫辛酸既可以消灭细胞壁内的自由基，也可以对付血浆中的自由基。维生素C和硫辛酸还能够重新生成维生素E和谷胱甘肽以便重新使用。

抗氧化物质越多越好！我们的目标是拥有足够多的抗氧化物质来中和我们身体内部形成的自由基。为此，我们必须随时准备一个完善而均衡的抗氧化剂大军。

[后防支援]

每一个军队在战线后面都必须有一套后勤保障系统——这一点对战争结果来说是至关重要的。仅用足够数量的抗氧化物质（就像士兵）来对付我们制造的自由基并不是一个完整的解决方案。为了保持最佳状态，士兵们需要补给——弹药、食物、水和衣物。

抗氧化物质也需要相应数量的其他营养来完成在前线抵御自由基的职责。它们需要充足的抗氧化矿物质，例如铜、锌、锰和硒等，来协助进行化学反应，有效地完成它们的工作。如果这些矿物质不充足，氧化压力仍会发生。

要很好地履行职责，抗氧化物质还需要一些辅助因子来与酶联合产生化学反应。辅助因素像机械工、军需官、油料箱和子弹制造者一样属于军事后勤系统。他们主要是指 B 族辅助因子（叶酸、维生素 B_1、B_2、B_6 和 B_{12}）。要想取得这场战争的胜利，我们必须储存足够数量的抗氧化矿物质和辅助因子。

这个战场实际上要比我刚才描述的复杂得多。要知道，我们制造的自由基的数量是不均衡的。自由基的数量随着每天正常的新陈代谢和耗氧量而变化着，我们的防御系统无法得知它在某个时间内要对付多少个自由基。还有许多因素能增加自由基的形成数量，而且也必须被中和。

是什么导致过量的自由基产生呢？我花了大量的时间研究这个问题。我研究了自由基不同的来源。让我们来讨论一下这些罪魁祸首吧。

[自由基产生的原因]

过量运动

在《抗氧化革命》一书中，肯尼斯·库珀医生强调，过量的运动可以明显增加我们身体产生自由基的数量。库珀医生在看过几名勤奋的运动员过早地死于心脏病、中风和癌症之后非常关心这一问题。这些人一生中可能跑了三、四十个马拉松长跑，同时每天还要坚持大量的体育锻炼。

在为这本抗氧化书籍做研究的过程中，库珀医生意识到过量运动可能带来的伤害。当我们中等或适度运动的时候，我们产生的自由基数量只会略微增加。但是，当我们过量运动的时候，我们自由基产生的数量就会急剧上升。

《抗氧化革命》一书在结尾处忠告读者，过量运动实际上是有害健康的，尤其是在我们多年持续过量运动的情况下。库珀医生建议我们每个人都应适量运动，他还建议我们每人在进行营养补充时都应服用抗氧化剂。只有真正的运动员才应该进行艰苦的训练，而且他们也应该补充大量的抗氧化剂来抵消这种侵害。

压力过大

与体育运动一样，轻度到中度的精神压力只能轻微增加自由基的数量。重度的精神压力却可以导致自由基数量明显上升，形成氧化压力。你有没有注意到当你压力过大时经常容易得病？有多少次你发现长期压力过大的好友或家人最终得了癌症或者心脏病发作？

我的病人们这辈子多数都没有跑过几个马拉松，但是我有成千上万个病人长期承受着精神压力。经济方面的、工作方面的和个人方面的压力交织在我们的生活中，精神压力成为我从医经历中碰到的对健康影响最大的因素。一旦你开始明白氧化压力的危害，你就会开始重视长期精神压力对健康的威胁，并且开始去减轻这种压力。

空气污染

环境对我们体内形成的自由基的数量影响巨大。空气污染是导致我们肺部和体内氧化压力的主要原因之一。现在当你开车进入任何一个大城市时，你不仅能够看到空气中厚重的烟雾，甚至能够用舌头尝得出来。

我还记得1970年在科罗拉多大学医学院读书的日子。当我在神经病科轮值的时候，我必须在早上6点开始查房。开始的时候，我会走到西边的窗户，欣赏初升的太阳把它的光芒投射在落基山上。然后我迅速开始巡视，每天大约需要两个小时。当我完成工作以后，我会在第一节医学课前跑回去看那个美丽的山景。让我惊讶的是，我往往连山也看不到了。我能看到的只是一些白色的光线透过浓重的红色的烟雾。在人们工作的这两个小时里发生了多么大的变化啊。

空气污染对健康的影响已经引起了极大的关注。空气污染中包括臭氧、二氧化氮、二氧化硫和多种碳氢化合物，这些物质都能显著增加自由基的数量。日复一日地暴露在这些有毒物质中，我们的健康会受到严重威胁。空气污染已被认为是哮喘、慢性支气管炎、心脏病，甚至是癌症的致病原因之一。理解了氧化压力是这些疾病的根源以后，我们可以制订出一套保护自己不受空气污染威胁的方案。

我们还应考虑空气污染的另一个方面：因为职业需要而暴露在诸如石棉纤维之类的矿物灰中。在石棉中添加含铁纤维能够产生更多的自由基。长期暴露在这些物质中已被证实可能导致肺癌和间质性纤维化（一种严重的肺部创痕）。还有许多其他职业性的危险：暴露在畜棚和谷仓的浮尘中的农夫；暴露在各种化学物质和浮尘中工作的工人。

毋庸置疑，我们呼吸的空气质量对身体健康影响是巨大的。

吸烟

你可能也会认为日常的烟雾或化学物质对我们是最大的威胁。但是你是否相信对我们身体危害最大的氧化压力实际上是香烟和香烟的烟雾呢？这是真的。吸烟与日益增多的哮喘、肺气肿、慢性支气管炎、肺癌和心血管疾病紧密相连。我们都知道吸烟危害健康，但是要知道根本原因是由于烟雾对我们身体造成的氧化压力。香烟的烟雾含有多种毒素，它们联合在一起使肺部和身体各部分的自由基数量增加。没有任何一种嗜好对健康的危害性比吸烟更大了。

在我所知的事物里没有比尼古丁更容易上瘾的了。当美国公共卫生部部长艾佛瑞·库普医生把吸烟称为一种毒瘾而不是一种嗜好的时候，他永远地改变了我们对吸烟的看法。如何改变的呢？他告知公众尼古丁的成瘾性，这一点烟草公司可能早在半个世纪之前就已经知道了。许多事例表明，人们只需要两到三周就能对尼古丁成瘾。人们很难戒烟，这是否令人惊讶呢？我发现让病人戒烟比让他们戒酒更难。我相信香烟的烟雾对我们身体的危害远远超出了我们的想象。

那么二手烟又如何呢？医学研究证明，暴露在浓度较高的二手烟中的人们患哮喘、肺气肿、心脏病，甚至肺癌的可能性显著增加。因此人们通过了那么多条法律限制在公众场合吸烟。

你最近有没有在一个狭小的有许多人吸烟的场所呆过呢? 我想起上个月开车带我女儿回学校。路上,我不得不停在一个小镇上加油。当我走进加油站交汽油费的时候,有六个当地居民围坐在一个小桌子边上,他们都在边吸烟边喝咖啡。我忍不住咳嗽起来,感到很不舒服。对那些不习惯于香烟烟雾的人来说,其影响是显而易见的。我相信你也碰到过类似情况。不难想象,每天暴露在二手烟中会对你的健康产生多大的影响。

食物和水源污染

你口渴么? 1998 年美国公众卫生部警告我们,美国 85% 的饮用水都已受到污染。我真不相信,过去的 10 年内这一情况并没有任何的改善。我们的水源现在受到了超过 5 万种化学物质的污染。这是一个惊人的事实:水质加工厂平均只能检测出其中 30 到 40 种化学物质。另外还有重金属,例如铅、镉、铝等,正在污染着我们的水源。在美国,有超过 55000 种受限制的化学废料和大约 20000 种不受限制的化学废料正在渗入全国各地的地下水层。当我们吸收了这些受污染的水源后,自由基的数量就会明显增加。

为此,现在的美国人已经求助于饮用大量的瓶装水、过滤水和蒸馏水。但是你要知道:除了蒸馏水以外,你无法判断自己花了那么多钱买回来的水的质量究竟如何,因为这毕竟是一个完全没有规范的市场。

从第二次世界大战至今,已有超过 6 万种新出现的化学品进入我们的环境。现在每年仍有不少于 1000 种新发明的化学品进入我们的环境。除草剂、除虫剂和杀真菌药剂被用于多数食物的生产过程中。医学研究显示所有这些化学物质在被人体吸收后都能增加氧化压力。其中有的比较危险,有的相对安全,但是它们都会对我们的健康产生威胁。这些化学物质帮助美国的食品工业前所未有地提高了产量。但是美国人付出了怎样的健康代价呢?

阳光紫外线辐射

我们已知道人们在 20 岁生日之前会接受到一生中大约 2/3 的日光照射。这就是说，当你阅读本书的时候，你的皮肤可能已经接受过太阳的紫外线破坏了。

各种研究已经表明，紫外线能增加人体皮肤中的自由基。这些自由基已被证明能够破坏皮肤细胞的 DNA，从而导致皮肤癌。这些研究是证明氧化压力能导致癌症的最直接的证明。

虽然太阳光线中的 UVA 和 UVB 射线均能增加皮肤中的自由基从而形成氧化压力，但是其中 UVB 射线的伤害力是最大的。只要涂抹了 SPF30 或更高指数的防晒霜，你就基本上可以不受 UVB 射线的损伤了。这样我们就可以更长时间地呆在户外而不怕被阳光灼伤。但是这些防晒霜的作用并不能很好地阻隔 UVA 射线，这种射线可以导致皮肤更深层的自由基增多。这也许可以从一个方面解释为什么过去20多年来皮肤癌的发病率已经增加了 4 倍。

我们要在市场上挑选既能阻隔 UVA 也能阻隔 UVB 射线的防晒霜。显然，这才是既能保护你和孩子不受灼伤又能预防皮肤癌的产品。我建议大家密切关注自己皮肤上不同寻常的色素斑块的增加。

药物和放射

我开出的每一种药物都能增加体内的氧化压力。化疗和放射疗法的基本原理就是对癌症细胞产生氧化压力以杀死癌细胞。这也是病人很难忍受这些药物和治疗的主要原因之一。氧化压力增加也会间接地破坏正常细胞。

我们必须记住很重要的一点，对身体而言任何药物从本质上来说都是一种外来物质，身体必须非常努力地把它代谢和消灭掉。这就要求肝脏和整个身体进行更多的代谢反应。因此产生了更多的自由基，并可能增加氧化压力。

21世纪的工业化国家已经变得过于倚赖药物。美国和整个世界的药物消耗量已经达到前所未有的高度。虽然每种药物都已经过测试，证明了它的疗效，但是每种药物都有其与生俱来的危害。在美国，药物副作用已经成为第四大死亡原因。这是真的：在美国，每年都有超过1万人死于处方和服用方法都没有错误的药物。药物自身的危害在很大程度上都是由于它们可能导致的氧化压力。

※　　※　　※　　※　　※

超过70种慢性退行性疾病都是氧气毒副作用的直接原因。换句话说，导致这些疾病的根本原因就是氧化压力。医学研究显示，这些我们都担心年老后会患上的疾病的潜在原因毫无疑问就是氧气的黑暗面。

如果你曾经修理过一辆旧车，你就已经了解到灰尘的破坏力。它能侵蚀和分解地球上最坚硬的物质之一：金属。正如空地上弃置的一辆汽车那样，如果不加以保护，我们的身体也会慢慢地生锈。就像金属上的一小块锈斑，我们的身体也会慢慢地被侵蚀，身体的哪一部分先受到破坏就能决定我们可能会得哪种慢性疾病。

幸好，我们的身体不仅有一套强大的抗氧化系统；它还有一套很出色的修复系统。下一章我会解释这个MASH野战医疗部队如何修复在体内的战争中必然负伤的伤员。

WINNING THE WAR WITHIN 第二部分

打赢体内的战争

第4章　我们的修复系统：MASH 野战医疗部队

第5章　心脏病：一种炎症性疾病

第6章　高半胱氨酸：新秀登场

第7章　心肌炎：治愈的新希望

第8章　化学预防与癌症

第9章　氧化压力与你的眼睛

第10章　自身免疫性疾病

第11章　关节炎与骨质疏松症

第12章　肺病

第13章　神经退行性疾病

第14章　糖尿病

第15章　慢性疲劳症与肌肉纤维痛

第4章　我们的修复系统：MASH 野战医疗部队

　　是战争就有伤亡。发生在我们体内的这场战争也不例外。虽然我们拥有强大的抗氧化防御系统，敌军还是可以突破和破坏我们的脂质（脂肪）、蛋白、细胞壁、血管壁，甚至细胞 DNA 核心。

　　许多研究中心都已证明了创伤清除和修复系统的存在，它能清除和修复这些被氧化（也就是被自由基破坏）的蛋白质、细胞壁、脂质和 DNA。简单地说，我们的身体拥有一套完善而发达的 MASH 部队。

　　当我还是一个年轻医生的时候，我意识到我很可能被征召入伍，加入越南战争的野战医疗部队。当我在科罗拉多大学医学院受训的时候，当地大多数居民都已去过越南，多数的实习生也正准备开往越南。但是后来当我结束实习的时候，战争已接近尾声，已经不再征兵了。

　　虽然我没有亲自去过越南，但是我还记得那部名为《陆军野战部队》的电影，所有受伤士兵都被带上直升机。你知道吗，同样的情景也在我们体内发生着。我们有一个完善的由类选护士、麻醉专家和外科专家组成的队伍，它们能修复由我们身体产生的自由基所造成的破坏。

　　我们每人身体里都有一套直接修复系统和一套间接修复系统。我们实际上对这套直接修复系统了解不多；但是的确可以证明它存在。我们的认识多数集中在间接修复系统上。

在医疗领域,类选护士指的是那些观察病人状况以判断是否最危重而必须最先交由大夫治疗的人。进一步的研究显示,我们体内的这些"类选护士"可以识别已经损毁的细胞并去修复它们。我们的身体不是单纯地把这些细胞扔掉;而是把它们完全撕碎并且重新组建起来。真的很神奇,不是吗?被破坏的蛋白质的氨基酸被用来构造成一个全新的蛋白质。同样,我们的身体还能将已被改变的脂肪和DNA重新修复。你一定要知道,我们的身体拥有惊人的自我治疗的内在能力。

当我细想这套修复系统和这些细胞功能的复杂构成时,我完全相信这绝对不是自然随机生成的结果。我在医学院的第一年里学习了眼球解剖学和功能的。当我观察着这错综复杂的结构时,我意识到这东西绝对不可能是意外和随机发生的结果。视网膜本身就分12层,由成千上万个功能各异的细胞组成。视网膜的杆细胞和视锥细胞收集光波并传输到大脑。大脑把这些刺激翻译出来,并形成栩栩如生的、运动着的、彩色的视觉影像。看一下你身边的窗外吧,视觉给我们带来了多么大的惊喜。这不是偶然出现的事物——它是一项精致的发明!

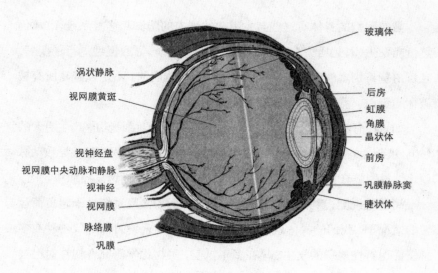

眼球剖面图

涡状静脉
视网膜黄斑
视神经盘
视网膜中央动脉和静脉
视神经
视网膜
脉络膜
巩膜

玻璃体
后房
虹膜
角膜
晶状体
前房
巩膜静脉窦
睫状体

在我现在研究身体惊人的免疫系统和抗氧化防御系统时，我也有同样的感觉。我毫不怀疑上帝是我们真正的救治者。"我要感谢你把我创造得那么的完美，"大卫说道。上帝创造了一个健美的身躯让我们来照顾和养育。抵御慢性退行性疾病最好的武器在我们身体内部，而不是医生开出来的药方。

生物化学研究者们现在已经有能力研究我们身体中每个细胞内部的工作和构成。正如许多早期进化论学者所相信的，细胞并不仅仅是一个包容着相同的胶质的壳。它其实充满了通过精细的生物化学反应来支持生命的复杂的结构、基因代码和传输系统。

当我看着一支墨水笔时，我试着去想象它是由一些塑料、金属和墨水在几千万年的随机运动后，突然碰巧组成了这只笔。不过我马上会想到，可能是有人制造了它！人体是那么精细的一个发明，我们越了解它的运作方式和功能，就越感到它的不可思议。

[战争的破坏]

虽然我们的身体有这些与生俱来的强大的防御和修复系统，破坏仍然可能发生。氧化压力有可能突破这些保护系统，导致慢性退行性疾病。在自由基特别多的时期，防御和修复系统可能崩溃，不足以修复所有被破坏的蛋白、脂肪、细胞壁和DNA结构。

如果没有被正确地修复，被破坏的蛋白质还会对细胞功能产生更大的影响。被破坏的脂肪可以导致细胞膜脆化；被氧化的胆固醇往往导致动脉硬化。没能被修复的DNA链可以导致细胞突变，从而诱发癌症和老化。

简单地说吧，当我们使自身的抗氧化防御和修复系统处于超负荷运转的情况下，我们的身体就会受到显著的伤害，最终可能导致一种或多种慢性退行性疾病的发生。早在多年以前，生物化学研究者们在对已被氧化压力破坏的细胞进行测定之后就已意识到，如果我们只有这些抗氧化的辅酶和化合物作为保护的话,我们就会因为重要的细胞被破坏而很快死亡。这就是为什么我们要优化所有这些天然的防御系统的原因。

[我们最佳的防御]

出了伊甸园以后,我们的食物和环境就已完全改变。我们的身体实际上是在不断地遭受着攻击。空气和水源污染、吸烟的多种危害和快节奏高压力的生活习惯叠加在一起对我们的身体施加着压力。甚至连我们的食谱也是不健全的。我们的食物明显地缺乏足够的营养。1970年,美国人的快餐消费额是60亿美元;2000年,消费额已经突破了1100亿。现在美国人在快餐食品上的消费已经超过了教育、个人电脑、电脑软件和汽车。他们在快餐上花的钱要比电影、书籍、杂志、报纸、录像带和音乐加起来的更多。

所有这些因素都意味着自由基已经比以往更加活跃更加具有破坏性。服用营养药物,在食谱中添加重要的抗氧化的维生素和矿物质,已经成为增加身体天然的防御和免疫系统的唯一手段。

营养补充能加强上帝为这个受污染的世界提供的天然的防御系统,从而保护我们的健康。只要我们能为身体提供正常运转所需的最佳水平的营养,我们的身体就能做上帝所希望的任何工作。

一旦你理解了氧化压力的概念和它对身体的毒害,你就会希望知道如何去战胜它。你会想知道如何获得足够的抗氧化物质和辅助营养来处理身体产生的自由基。

虽然实际上正如听起来那么简单,但是这对我们的健康来说,这的确是一个革命性的概念。只要我们能够尽可能长久地预防或延缓这些慢性退行性疾病,我们就能够尽可能长久地享受健康。我们总会死去,除非上帝不让我们死亡,不过正如我朋友所说的那样,我也希望能够一直活到死亡。

[我们的目标是平衡]

在我十几岁的时候，联邦政府决定大幅度削减硬币的含银量。所有纯银的旧硬币的价格立即比政府新铸造的硬币高出许多。许多个人和企业开始收购这些纯银的硬币，当然，我们这些年轻人也在尽可能多地收集这些硬币。

我的运气特别好。我的父亲拥有一家Dairy Queen冰激凌店，他每晚都会带回一堆硬币来让我用纸卷成一筒一筒的。我会很仔细地挑出那些纯银的硬币拿去卖（在我父亲的许可下）。

我喜欢拉开大街尽头那间五金店沉重的木门。迎面而来的是旧木头、家具油漆和油料的霉味，还有斯莫尔雷先生友善的声音："欢迎啊，孩子！"斯莫尔雷先生看到我来了就会拿出一个天平来称我的硬币（他是按重量来支付的）。他用的是那种老式的两臂各有一个称盘的天平。斯莫尔雷先生把我的硬币放进一边的称盘，然后在另一个称盘里逐个加上砝码。

我记得自己当时兴奋地屏住呼吸看着他不断地放进砝码来衡量我的硬币。等到差不多的时候，他就会从帽檐后面盯着我，眨巴眨巴眼睛。"好了！"等天平终于平衡了以后他就会这样喊。然后他就会告诉我这些银币能换多少钱了。

对氧化压力而言，平衡就是关键。我刚才说的故事在这里也能很好地类推。我们的身体一直试图在一边称盘中放进砝码（抗氧化物质）来抵消银币（自由基）的重量。我们的身体能够产生一些抗氧化物质，但是还远远不够。我们的食物，特别是水果和蔬菜，曾经能够为我们提供所需的全部的抗氧化物质。大概一两代之前，人们的食谱比现在更全面更新鲜，而且含有更多的抗氧化物质。但是由于现在环境污染的急剧加重，以及因快速处理而导致的食物营养缺乏，我们的天平现在已经失去平衡——向银币（自由基）一边倾斜。

要提供身体所需水平的抗氧化物质，我们需要增加一些营养补充来达到平衡。实际上我希望天平能倾向砝码一边，这样我们就没有氧化压力了。

要记住，每个硬币都有两个面：我们身体必须处理的自由基的数量和一个最优化的抗氧化／修复系统。在下一章里，我会展示一些医学证据来表明你作为一个个体，如何才能通过健康饮食、合理锻炼和服用高质量的营养补充来改善你的抗氧化防御系统。我会告诉你通过采用我的"优化配方"（特别有效的抗氧化剂），你甚至能够重新恢复已经失去的健康。

首先，让我们来认识一位掌握了营养药物疗效第一手资料的人吧。

[伊芙林的故事]

伊芙林经历了一次严重的交通意外，并且因为多处创伤而留院治疗。此后，她随家人搬到了华盛顿州的斯普凯恩（Spokane）。她的身体左侧开始感到虚弱和麻木，医生们曾经担心她得了中风。一次又一次令人失望的检测使她和她的家人陷入了黑暗。他们不知道她的身体到底怎么了？

此后的大约半年间，伊芙林找了 18 个不同的医生，最终确诊她得了多发性硬化症。氧化压力最大的诱因之一就是外伤或手术创伤，伊芙林的医生们认为正是那次意外触发了她的多发性硬化症。

伊芙林一直试图乐观地对待这个诊断，并且决心不让疾病把自己拖垮。医生们开始让她服用一种多发性硬化症常用的名为倍泰龙的药物。倍泰龙实际上是一种 B 型干扰素，这种化学物质有可能增强免疫系统——非常贵而且副作用非常强烈。伊芙林的身体无法承受这种药物，她感觉非常不舒服。两个月后，她告诉家人和医生她不想再吃这种药了。她的家人非常支持她，觉得副作用太可怕，继续吃下去会得不偿失。

"我当时很颓废，有许多日子都在绝望中度过，"伊芙林回忆道，"我盯着窗外问自己一些无法解答的问题：为什么是我？为什么是现在？很多个晚上我都盯着家里的天花板或者坐在窗前哭泣。这是我唯一能够独处的时候，只有这时我才能发泄出心里最深的情感。"

伊芙林和她的丈夫孩子一起参加了援助组织。她和她的家人开始调节生活方式以习惯和照顾她的需要。伊芙林还面对着突然失明的威胁，这是一种多发性硬化症患者常见的症状。"我会坐在孩子们的床尾，"她回想着，"看着他们熟睡，记住他们的脸、他们头发的颜色、他们平静的表情，这样我就不会忘记他们的样子。我把他们写进日记，并且试图记下一切我能记得的孩子们的事情。我珍惜每一天的每一刻。"

不久以后，伊芙林的状况就开始恶化了。接下来的4年间，她的双腿不断地失去力量，然后是胳膊和手。开始的一段时间她必须用一种有4条腿的拐杖；几个月后她需要使用助步架。更令人沮丧的是，她的大小便开始失禁。这没有让她感到不安，但是这还让她得了几次膀胱和肾感染。她开始从生理到精神上都不得不依靠她的家人了。

虽然如此，伊芙林的信念还是惊人的。没有助步架或家人的帮助，她几乎不能移动，不能去任何地方。她能看到所有朋友的脸上因为她的恶化而表现出来的震惊。但是伊芙林没有放弃。针对她的病，这个妻子和母亲开始进行物理治疗，并且自己开始对多发性硬化症进行研究。

伊芙林尝试了一些不同的物理疗法，但是病情仍在恶化。于是，在被确诊接近4年后，她决定尝试一些强效的营养补充来减缓病情的恶化。她开始服用一些强效的抗氧化剂和矿物质药片，并开始吃葡萄籽精华素和一种名为辅酶Q10的天然营养素。几个星期后，伊芙林开始感觉好些了。

"多年以来，我第一次能够睡到天亮，而且醒来以后感觉很放松，"她说道，"我白天不再需要睡觉，我的大小便问题也不复存在了。我的耐力增加了。腿和胳膊开始重新有力气了。我甚至能够跑上楼梯去接电话，这让我的孩子们大吃一惊。当我开始跟我的女儿塔莎一起跳绳时，她完全惊呆了。这么久以来，我第一次能够赤着脚走到外面，感觉着脚趾头下面的青草。"

伊芙林坚持进行营养补充之后还得到了许多其他的惊喜。例如，早在交通意外之前，她就有心悸的毛病。随着多发性硬化症的好转，她还意识到她的心脏跳动也已经正常了。当她询问大夫能否停用控制心律不齐的西罗（Norpace）时，大夫给她做了一些检查，然后在她的病历上写下："停用一切药物。" 伊芙林的生活奇迹般地改变了。

发生了什么事情？为什么伊芙林会有那么大的好转？当我认识伊芙林时，我从未见过任何多发性硬化症患者能有这么大的改善。我见过许多患者的病情暂时性的好转。但是他们的总体力量和身体机能还是持续恶化着的。伊芙林的故事实在是不同寻常。

伊芙林正是通过运用你将在本书中学到的原则来打赢体内这场战争的。她开始为身体提供足够的抗氧化物质和辅助营养，使肌体重新获得平衡并控制氧化压力。她通过改善身体天然的修复系统来重建了自然的免疫系统。

我很高兴地告诉你，伊芙林的健康仍在改善，并且过上了积极向上的生活。从她开始营养疗法至今已有7年多了。当然，她仍然患有多发性硬化症，所以仍须注意。但是她过上了最完整的生活。她仍在坚持参加援助组织——但不是为了她自己，而是为了去鼓励其他人。

伊芙林的神经科医生对她奇迹般的好转还是无法理解。最近他要求伊芙林重新做了一次脑部核磁共振检查。让他惊奇的是，作为多发性硬化症诊断依据的遍布在大脑中的白色碎片已经明显消失。而通常来说，这种典型的大脑损伤的数量只会增加。毋庸置疑，伊芙林的神经科医生已经无话可说了。

这也是身体可以通过提供最佳水平的必需营养来实现自我修复的强有力的证据。伊芙林的故事只是打赢体内这场战争的战果之一。

　　至此，你已经了解了氧化压力的基本概念。所以现在你会想进一步逐个地研究这些慢性退行性疾病，以便知道如何去预防它们。如果你已经得了一种严重的退行性疾病，你会发现如何才能重新获得健康。你会发现一种全新的使用预防药物的方法——细胞营养，以及它的惊人效果。

第5章 心脏病：一种炎症性疾病

我们每天都被别人提醒着，美国人的胆固醇问题严重。正如我在第2章中所说过的，心脏病是美国的头号死亡原因。因此你可能跟我原来一样相信这些统计数据和媒体的看法：胆固醇是心脏病的病因。

如果是这样的话，当你知道其实是血管炎症而不是胆固醇才是心脏病的罪魁祸首时，你一定也跟我一样吃惊。我的研究表明，美国有超过一半的心脏病患者的胆固醇水平是正常的！你能猜到我发现的能够最明显地减轻或者甚至完全消灭血管炎症的方法吗？是的，就是营养补充。

这个发现对心脏病治疗和预防有着革命性的意义。你必须知道减少动脉炎症的必要步骤，而不是把注意力放在降低胆固醇水平上。这种方法对预防和治疗心脏疾病有着明显而重大的意义。

[那么胆固醇呢？]

你知道么？血液中胆固醇水平升高并不一定是心血管疾病和中风的危险因素。当我从1972年开始从事医疗工作的时候，我们认为胆固醇水平低于320是正常的。我清楚地记得自己告诉病人们当他们的胆固醇处在280到310之间时不必太过担心，因为这是正常水平。

实际上直到20世纪70年代末期，我们才开始意识到胆固醇水平越高，出现心脏病发作或中风的可能性也越高。这一结论主要是基于在弗来明汉(Framingham)进行的一些研究，这些研究对马萨诸塞州弗来明汉市居住的大多数人口进行了调查。科学家们注意到，在这些调查中，随着胆固醇水平的增高，心脏病发作的频率也会增加。根据这些研究，胆固醇水平超过200的人被视为不正常，超过240的被列为很可能心脏病发作的病人。

20世纪80年代初期，医生们开始发现并不是所有的胆固醇都是不好的。我们得知HDL（高浓度脂蛋白）胆固醇实际上是好的，而且我们的HDL胆固醇越高越好。只有LDL（低浓度脂蛋白）胆固醇才是坏的。LDL胆固醇聚集在动脉血管壁上，造成沉积和动脉狭窄。而HDL胆固醇实际上可以清理和疏通动脉。

自此发现之后，我们开始不仅仅是检查胆固醇总数，而是同时判断其中好的和不好的胆固醇数量。我们用胆固醇总量除以HDL胆固醇数量得出一个比率。比率越低，病人出现心脏病的可能性就越低。现在同时对HDL和LDL胆固醇水平进行常规检查的做法已经很普遍了。不用说，我们实际上已经意识到胆固醇的重要性和LDL胆固醇的危害。

至今为止，我告诉你的还只是一些很寻常的知识。你准备好去了解一些不寻常的知识了吗？

LDL胆固醇其实并不"坏"。上帝创造它并不是一个错误。我们身体自身产生的LDL胆固醇从本质上来说其实是好的。事实上，它是构造细胞膜和其他细胞部分，以及身体所需多种荷尔蒙的重要元素。没有它的话我们就不能生存。而且即使我们不能从食物中获得足够的LDL胆固醇，我们的身体实际上也可以生成这种胆固醇。

问题只是在自由基改变或者说是氧化了天然的LDL胆固醇之后才出现的。只有这种变性的LDL胆固醇才是"坏"的。丹尼尔·斯汀博格（Daniel Steinberg）医生在1989年出版的一期《新英格兰医学杂志》中指出，如果病人正确地服用抗氧化剂来防止氧化，LDL胆固醇就不会变坏。

在斯汀博格医生的理论发布后多年内，人们进行了上万次实验试图来证实或推翻他的理论。你应该意识到为什么科学家和研究者们为什么这么热衷于研究斯汀博格医生的理论。毕竟，美国人仅今年就已发生了接近150万次心脏病发作，这些病人几乎半数的年龄都低于64岁。我们都有朋友或爱人曾经看上去非常健康而突然死于心脏病发作。如果斯汀博格医生的理论被证明是对的，那么它将为新的预防和治疗方案敞开一扇大门。

1997年，马可·戴尔兹（Marco Diaz）医生对斯汀博格医生发布其理论后所有主流医学杂志记载的研究结果进行了调查。戴尔兹得出一个结论，体内抗氧化物质越高的病人罹患冠心病的概率越小。

期间进行的动物实验也支持斯汀博格医生的理论。抗氧化物质和它们的辅助营养成分已经成为战胜人类的头号杀手——心脏病——的新希望。

[炎症反应的本质]

LDL胆固醇不是诱发血管炎症的唯一因素。其他主要原因包括高半胱氨酸（我们在第6章中会具体讨论）和由香烟烟雾、高血压、油腻食物和糖尿病等因素产生的自由基。

我们动脉血管中发生的炎症与身体其他部分的炎症反应是相似的。我会试着用一种通俗的方法描述这一过程，让你能更好地理解细胞层正在发生的事情。不用试图去理解这一过程的具体细节而被它难倒。（这甚至对多数医生来说也是很难理解的，所以如果你不能完全明白的话也不用太在意。）然后我会告诉你应该如何最佳地保护你自己的血管不受伤害，这其实是很简单的。

当你看着这个典型的，中等大小的动脉血管纵切面（图1）时，你只需要看细胞的第一层，也就是所谓的内皮层。这是一层很薄的纤维组织。我所说的一切都与这一细胞薄层和它下面的区域"内皮下组织"（见图2）有关。

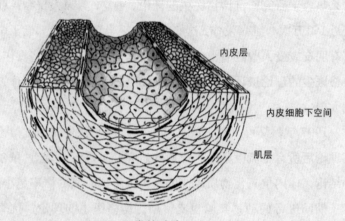

图1 正常的动脉

动脉血管的内皮层是由一层敏感的单层的内皮细胞组成，内皮细胞下面是肌层。内皮细胞层和肌层之间是内皮细胞下空间。这就是最先被破坏的部位。

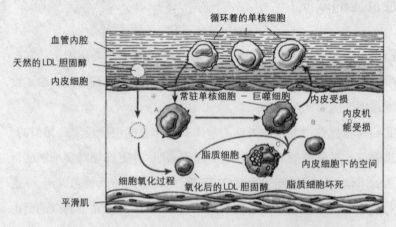

图2 LDL胆固醇的氧化

如果没有足够的抗氧化物质，天然的LDL胆固醇会被捕获到内皮细胞下空间，并且在这里被轻易地氧化。被氧化的LDL胆固醇可以被巨噬白细胞"吞噬"，除非巨噬细胞被"填满"了脂肪。记住，除非如此，LDL胆固醇是不会被氧化的。当巨噬细胞里塞满了被氧化的LDL胆固醇之后，它就变成一个"脂质细胞"。脂质细胞会对动脉血管这层敏感的薄层造成破坏并导致该区域的氧化压力。这会导致内皮细胞受损和机能受损，动脉硬化过程就会开始并迅速恶化。

炎症反应有四个步骤

第1步：开始侵犯内皮细胞

内皮细胞对哪怕最轻微的伤害也是非常敏感的。几乎所有的科学家现在都已相信动脉硬化是由于这一层细胞遭到了氧化压力的破坏或伤害。

被氧化的LDL胆固醇、高半胱氨酸和大量的自由基都能导致氧化压力，破坏内皮细胞。当天然的LDL胆固醇能够进入动脉这一薄层下的区域（即内皮下空间）并在这里被氧化的时候，问题就会发生。这种胆固醇就会开始侵害动脉的内皮细胞层。

第2步：炎症反应

我们的身体有一套能够保护动脉内皮细胞的系统。在受到伤害时，我们的身体会做出反应，输送一些特殊的白细胞（主要是单核细胞），试图消灭有害的被氧化的LDL胆固醇。单核细胞会在这里开始吞噬敌人，以便最大程度地减少对内皮细胞的伤害。如果这种炎症反应成功的话，问题就能得到解决，动脉的这一薄层也会得到修复。但是并非每次都能如此。

你可以把单核细胞假想成一辆白色的小面包车。车子会一边开一边接上小孩子，并让他们坐在适当的位置，车上座位和安全带是固定的，所以能装载的儿童人数有限。单核细胞也是如此。当我们身体健康的时候，它们会到处巡视，载上一个天然的LDL胆固醇并放出其他的天然的

LDL胆固醇。就像一辆面包车一样，单核细胞一次也只能装载有限数量的天然LDL胆固醇。我们把这称为自然反馈机制（Natural feedback mechanism）。

当天然的LDL胆固醇被氧化以后，胆固醇颗粒就不再是无害的小孩子。它们会对身体产生威胁，单核细胞会以一种完全不同的方式吸附它们。单核细胞仍会装载这些失去功能的被氧化的LDL细胞，但是不会再释放出来。这就像一群超级肥胖的孩子要从后门挤上小面包车，这样司机就无法知道到底有多少孩子上了车。这个时候，车子就会停在那里不动，并且很快导致交通堵塞。

单核细胞碰到坏的胆固醇的时候也会停滞不动。因为不再有自然反馈机制存在，单核细胞很快就会被氧化了的LDL胆固醇（脂肪）挤满而变成脂质细胞。正如你所想象到的：这是一种看起来非常像脂肪球的细胞。脂质细胞会附着在动脉血管壁上，并且最终导致动脉硬化的最初缺损，即脂质条纹。

这种脂质条纹就是一种炎症伤害。它是动脉硬化症的最初阶段。如果这一阶段就此停止的话，身体至少还有机会能够清除这些缺损。但是事实并非如此。与其他任何战争一样，这一阶段也有其他一些并发损失。在试图修复这些缺损的过程中，我们动脉这层非常敏感的细胞层反而受到了更大的破坏。更多的单核细胞前来修复缺损，但相应地造成更多天然的LDL胆固醇被氧化，从而实际上加剧了炎症。这就导致了动脉血管内皮细胞层附近区域的慢性炎症反应。

第3步：慢性炎症反应

慢性炎症反应是心脏病发作、中风、周边血管疾病和动脉瘤的根本原因。这些疾病统称心血管疾病（与我们身体动脉血管有关的疾病）。如果动脉炎症持续，我刚才介绍过的简单的脂质条纹就会发生变化。炎症不仅能够吸引更多的白细胞（通常是单核细胞），单核细胞本身也会塞满氧化了的LDL胆固醇。脂质斑块会因此变得更厚，动脉硬化正式开始。

这种慢性炎症还会导致动脉的肌层开始出现增生（Proliferation），形成更多更厚的肌肉细胞。动脉因此开始变得狭窄。(见图3)

这整个过程是一个恶性循环。不仅血管出现斑块，而且动脉也会变厚。正常情况下，内皮细胞层是通过释放一种名为一氧化二氮的物质来正常工作的。但是在炎症反应中，内皮细胞不能正常释放一氧化二氮，导致内皮细胞机能不良。这会导致血小板黏附在斑块上，斑块附近的血管会出现痉挛。

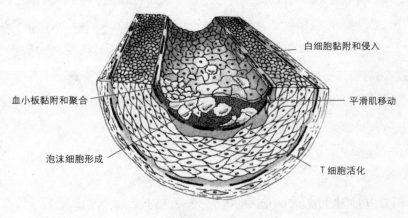

白细胞黏附和侵入

血小板黏附和聚合

平滑肌移动

泡沫细胞形成

T细胞活化

图3 阻塞了的动脉

脂质细胞开始积累，吸引了更多的单核细胞，这些单核细胞最终也变成了脂质细胞。平滑肌开始增生并移动到这一区域，动脉血管内腔开始变得狭窄。动脉内皮细胞层功能更加削弱，由此出现的动脉痉挛和血小板黏附使动脉更加狭窄。

第4步：斑块破裂

50%的心脏病发作都是由这些斑块中的一片发生破裂，以及在斑块周围形成的凝结所导致的。当这段动脉由于这一原因而急剧并且完全关闭时，通往该部分心脏的血液就会被截断。有危险性的斑块通常很小，甚至不能明显地导致动脉狭窄——因此在斑块破裂之前很难诊断心脏疾病。（现在你能明白这种疾病为什么潜伏得那么好，直到斑块破裂并已阻塞了动脉以后才被发现。）氧化压力也可能导致这些斑块瓦解并最终导致它们的破裂。

动脉可以持续变窄直到完全堵塞（关闭）。你有没有碰到过朋友或家人中有人的动脉被染色以观察他的一条或所有冠状动脉有没有严重堵塞呢？这些病人通常有各种胸口痛症状,也就是医生们所说的不稳定性心绞痛。碰到这种情况时,医生们要么会采用血管成形术（对动脉进行充气）,要么会通过外科手术使血流绕过这些阻塞区域。

如果你愿意花一天时间跟着心血管专家或心血管外科手术专家在医院里到处跑,你很快就会意识到,他不得不把绝大多数的时间花在"灭火"上。通常他所治疗的病人都已处在炎症过程的最后阶段,他所有的注意力都集中在像英雄一样去拯救一条生命。他实在没有剩下太多的时间去教育病人们必须改变生活方式去减缓甚至有可能去消灭这种破坏性的疾病,从而以后再也不需要他的服务。

[真正的预防措施：看看研究结果吧]

一个好的消息是抗氧化物质和它们的辅助营养可以消除或者至少能够明显地减少所有这些导致动脉炎症的因素。上千例心脏病临床研究显示,服用营养补充可以显著改善健康状况。让我们看一下每种营养以及它对减缓甚至预防炎症反应有什么帮助吧。

维生素E

维生素E是阻断动脉硬化过程中最重要的抗氧化物质。维生素E之所以能提供这么强有力的防御的主要原因是由于它是脂溶性的,这使它成为细胞壁内最有效的抗氧化物质。维生素E实际上可以与LDL胆固醇相结合。细胞膜内的天然LDL胆固醇中的维生素E水平越高,LDL胆固醇的抗氧化化能力越强。不论天然的LDL胆固醇走到哪里,维生素E都能随之一起移动。

很重要的一点，正如我前面所说，动脉血管内的LDL胆固醇自身不会被氧化，只有在它通过薄层进入内皮细胞下空间后才会被氧化。现在，研究者们相信正是由于血浆或血液中的抗氧化物质含量较高而使得这种胆固醇氧化不会发生在动脉中。内皮细胞下空间中的细胞提供的抗氧化保护明显较弱。如果天然的LDL胆固醇的维生素含量足够高，那么即使它进入内皮下空间也不会被氧化。

要记住，单核白细胞在搜集天然LDL胆固醇的同时也会释放出其他天然LDL胆固醇，因此不会发生集结。只要能够防止天然的LDL胆固醇被氧化，整个炎症过程从一开始就可以完全避免。

维生素C

最近的研究显示维生素C是血浆或血流中最好的抗氧化物质，这主要是因为维生素C是水溶性的。补充维生素C被证明能够维持和保护内皮细胞功能。要记住，内皮细胞失去功能就是炎症反应过程的关键。由于维持动脉的这一薄层的完整性至关重要，人们开展了无数项研究来判断补充维生素C是否能够预防或减少心血管疾病。

维生素C还被证明能够防止血浆及内皮下空间内的LDL胆固醇被氧化。不过维生素C还有另一个好处就是它能重新生成维生素E和细胞内的谷胱甘肽，以便它们不断重复利用。

谷胱甘肽

谷胱甘肽是细胞内最有效的抗氧化物质，它存在于每个细胞内。已患冠心病的患者的细胞中的谷胱甘肽含量低于动脉血管健康的人的水平。谷胱甘肽之所以是一种关键的抗氧化物质，是由于分布在内皮细胞下空间周围的细胞内都含有这种物质。当你服用那些细胞制造谷胱甘肽所需要的营养物质（硒、维生素B_2、烟酸和N-乙酰-L-半胱氨酸等），你就能改善身体的整体抗氧化防御系统。

生物类黄酮（维生素P）

我们的水果和蔬菜中含有上万种生物类黄酮。有一个规律：食用的水果和蔬菜的颜色差异越大，你就能摄取越多种类的生物类黄酮。这种特效的抗氧化物质同时也有一些抗过敏和抗炎症的作用。例如，红酒和葡萄汁中含有一种名为多酚的物质，经证明，它能减少LDL胆固醇被氧化的可能性。

葡萄籽精华素也被认为是最佳的能够帮助预防慢性炎症性疾病的生物类黄酮抗氧化剂。

[营养药物：真正的预防措施]

研究者们发现心脏疾病的根源是由氧化压力导致的炎症。现在临床医生们（像我一样正在从事医疗工作的医生们）需要获得这一信息，并使它变得对病人们有用和有效。但是医生们往往像对待药物一样对待这些基本的营养物质；也就是说，他们会把这些营养物质分离开来，每次只测试一种营养的肌体反应来判断它的确切疗效。

例如，他们这次可能会进行一项维生素E的研究，然后下次再研究维生素C，最后再单独检测一下β胡萝卜素。有时一项临床实验没有显示出明显的健康改善，医生和研究者们在推荐这种营养物质时就会出现犹疑。这就是为什么你会发现媒体和医疗界在这一方面有分歧。医生们在推荐任何营养补充之前总想把这种营养物质了解得非常透彻。但是他们忘记了营养药物最重要的一点：协同作用。

协同作用正是抗氧化物质协同工作产生效用的方式。要中断氧化压力，身体必须拥有足够的抗氧化物质来应付所有的自由基，而这些抗氧化物质需要所有这些辅助营养才能很好地工作。这些成分在完成打败氧化压力这一最终目标时必须协同工作。

我建议我的病人们为细胞和组织提供最佳水平的所有各种类型的营

养。我希望这种炎症过程能被扼杀在摇篮阶段。因此，我建议他们的LDL胆固醇中应维持最高剂量的维生素 E，以防止胆固醇被氧化。

我还发现病人们应维持最佳水平的维生素C，以保护内皮细胞层的完整性，减少LDL胆固醇的氧化，并且重新生成维生素E和谷胱甘肽。我们也需要β胡萝卜素和其他所有各种形式的胡萝卜素来防止或减缓这一过程。

我希望通过为身体提供必需的硒、维生素B_2、N－乙酰－L－半胱氨酸和烟酸来提高细胞内的谷胱甘肽水平。在下一章中，你还会了解到叶酸和维生素 B_6 及 B_{12} 在减少心血管疾病危险方面的重要性。

再次提醒一下，是所有这些营养物质联合起来减少或消灭了动脉的炎症反应。这些营养成分的协同作用是其中的关键。这就是为什么说细胞营养对我们的健康非常重要的原因。

翻开下一页，来认识一下营养物质中的新秀——高半胱氨酸。

第6章　高半胱氨酸：新秀登场

你曾听说过高半胱氨酸么？又或者说，你的医生是否曾经建议过你做一次血液检查，看看你的高半胱氨酸水平如何呢？可能没有。在读完这章以后，我相信你一定会知道为什么。几乎没有人曾经听说过这种物质，更没多少人会知道它对心血管疾病的威胁与胆固醇同样严重。

据估计，当今全世界大约15%的各种心脏病发作和中风都是由于血液中高半胱氨酸水平过高——这意味着在美国每年有225,000次心脏病发作和24,000次中风的发生。除此以外还有900万例心血管疾病是由高半胱氨酸水平过高直接导致的。毋庸置疑，我相信我们很有必要对这一主要杀手多做了解，特别是当你发现要降低高半胱氨酸的水平之需要补充维生素 B 以后。

[什么是高半胱氨酸？]

高半胱氨酸的研究历史非常特别，它开始于凯尔默·迈考利（Kilmer McCully）医生的研究。迈考利医生 20 世纪 60 年代中期毕业于哈佛医学院，他是一位很有潜质的病理学家和研究者，喜欢研究生物化学与疾病之间的联系。他享有很高的声誉，很快成为了马萨诸塞州综合医院病理学研究员和哈佛医学院病理学副教授。

在迈考利医生从业初期，他开始对一种名为高胱氨酸尿的疾病发生了兴趣。这种疾病发生在基因有缺陷的儿童身上，使他们无法分解一种名为蛋氨酸的氨基酸。这些孩子们体内充满了大量名为高半胱氨酸的副产品。迈考利医生检查了两名有此缺陷而因心脏病发作死亡的男孩的病例。令人惊奇的是，这两个男孩甚至还不满 8 岁。当他检查男孩们的病理切片时，他发现动脉受到的破坏与动脉硬化的老年人惊人的相似。这让迈考利医生开始怀疑实际上终生都会存在的高半胱氨酸的水平过高时是否会导致普通病人心脏病发作和中风。

正如这两个男孩所碰到的情况，高半胱氨酸实际上是身体在代谢（分解）一种被称为蛋氨酸的基础氨基酸的过程中产生的副产品。蛋氨酸在我们的肉类、蛋类、牛奶、乳酪、面粉、罐装食品和快餐中大量存在。我们的生存需要蛋氨酸；但是，正如你从这些富含蛋氨酸的食谱中所能发现的，美国人的蛋氨酸已经超量了。在正常情况下，我们的身体可以把高半胱氨酸转换为半胱氨酸或重新变为蛋氨酸。

半胱氨酸和蛋氨酸是良性产品，没有任何副作用。但是问题出在这里：把高半胱氨酸分解为半胱氨酸和重新变为蛋氨酸所必需的叶酸、维生素 B_{12} 和维生素 B_6 不足。如果我们缺乏这些营养，血液中的高半胱氨酸水平就会提高。那么为什么我们以前从未听说过高半胱氨酸呢？我们必须重新回到迈考利医生的故事。

[正确的事物——错误的年代]

迈考利医生在 20 世纪 60 年代末 70 年代初的几期医学杂志上公开了他的高半胱氨酸理论，这一理论受到了他所在部门主管本杰明·卡斯特尔

(Benjamin Castle)医生的热烈欢迎,卡斯特尔医生很热衷于这一理论,他全力支持迈考利医生并向享有很高声望的专家小组展示这一成果。但是到了20世纪70年代中期,高半胱氨酸的理论开始失去了大多数的推动力。

卡斯特尔医生退休了,新的部门主管要求迈考利医生自行筹措研究资金,否则就要放弃这一研究。他的实验室被搬到了地下室。迈考利医生坚持战斗了很久,但是最后时间和金钱都被耗尽了:1979年,新的部门主管通知迈考利医生哈佛已经辞退了他,因为他的关于高半胱氨酸和心脏疾病之间关系的理论还是没有得到证实。

由于迈考利在哈佛医学院和马萨诸塞综合医院的职位是相互关联的,所以他在1979年1月份同时失去了这两份工作。他在哈佛的一个老同学当时担任着MIT动脉硬化症研究中心的主管,他把迈考利的想法描述成"错误的谬论"和"愚弄群众的犯罪行为"。很快,马萨诸塞总医院的公众事务处主管也要求迈考利医生不要再把他的高半胱氨酸理论和医院或者哈佛联系在一起。迈考利被永久地打入了冷宫。

凯尔默·迈考利医生的确是超越了他所在的时代。但是为什么人们会如此敌视这么一个只是试图去发现当今世界头号杀手的根本原因的人呢?会不会是因为当时已经得到了大量资金支持的胆固醇研究呢?

当时胆固醇可导致心脏病的理论得到了大力推动,凯尔默·迈考利医生的理论明显对它的未来提出了挑战。德克萨斯州立大学医学分院院长,1979年和1980年美国心脏病协会主席,心脏病专家托马斯·詹姆斯(Thomas James)医生说道:"当时除胆固醇以外的任何研究方向都不可能得到资助。你想追求其他任何答案都会遭到否定。我这辈子里从来没有碰到过这样一个会立即引发敌视反应的课题。"

[高半胱氨酸重新受到重视]

1990年,梅尔·斯坦佛医生重新对迈考利医生的高半胱氨酸理论产生了兴趣。斯坦佛医生是哈佛公共卫生学院的流行病和营养学教授，他在一次健康研究中检查了参加调查的一万五千名内科医生血液中的高半胱氨酸水平。斯坦佛医生的报告指出，即使高半胱氨酸水平只是轻微的偏高也会直接增加患上心脏疾病的可能性。高半胱氨酸水平最高的人心脏病发作的可能性是高半胱氨酸水平最低的人的三倍。这是显示出高半胱氨酸可能是心脏疾病的一个独立发病原因的第一次大型研究。

1995年2月，雅各布·塞尔赫伯（Jacob Selhub）医生也在《新英格兰医学杂志》上发表文章指出高水平的高半胱氨酸可以直接增加颈动脉狭窄（向大脑供应血液的两条主动脉狭窄）的发病率。另外，塞尔赫伯还指出多数高半胱氨酸水平较高的患者体内往往缺少叶酸、维生素B_{12}和B_6。

另一次大型的对照研究，欧洲协动计划（European Concerted Action Project）也显示高半胱氨酸水平越高，出现心脏病发作的可能性越大。曾经被认为是正常的高半胱氨酸水平突然之间被发现是非常危险的信号。

让研究者们更感兴趣的是他们发现一个事实，那就是如果体内高半胱氨酸水平较高的病人同时还有其他一个或多个致病危险因素（高血压、高胆固醇或吸烟等）时，他们动脉血管疾病的发病率就会急剧增高。这些临床实验的结果证明我们体内的高半胱氨酸水平越低越好。

研究者们突然之间接受了这样一个事实，那就是高半胱氨酸实际上是一种独立的心血管疾病致病因素。即使胆固醇阵营中的老牌支持者，例如国家心肺血液研究所所长，克劳第·兰冯特（Claude L'enfant）也说道："虽然高半胱氨酸过高的危险性尚未得到完全的证实，但是这也是一个极其重要的研究领域。"

今天，医学证据已经无可辩驳地表明：高半胱氨酸可以协助导致冠心病、中风和周边血管疾病。

[让我赚大钱！医药的经济力量]

现在你该明白为什么心脏病发作的患者中会有半数胆固醇水平正常了吧。那么为什么直到25年之后，迈考利医生向医学界提出的高半胱氨酸假设才开始受到重视呢？哈佛医学院教授及布莱根妇女保健医院（Brigham and Women's Hospital）预防药物主管，查尔斯·汉尼肯斯（Charles Hennekens）医生对此做了一个类比。"多年以来，我们一直知道阿司匹林对治疗经过了心脏病发作敏感阶段和生存下来的患者非常有效，但是我们仍然没有充分利用它，"他说道，"在最近的一次联邦卫生部咨询委员会会议上，我开玩笑说如果阿司匹林的效用只有一半但价格贵上10倍，而且必须持有医生处方才能购买的话，人们大概就会更重视它了。"

是的，至少制药公司们会更加重视它，而且他们肯定会向医生们推荐这些疗效。在这里情况也是相似的。就像阿司匹林一样，每天补充维生素B就能有效而大幅度地降低高半胱氨酸水平，而所需要的花费实在是微乎其微。"资助高半胱氨酸研究没有办法获得像胆固醇研究那么大的商业利益，这是在所难免的，"斯坦佛医生说道，"因为没有人能从中赚钱。"

来看一下医学界和制药业已经在使用人造合成药物降低胆固醇的过程中赚了多少钱吧。他们每年都有亿万美元的进账。你有没有考虑过是谁在告诫你胆固醇过高会带来威胁呢？是谁在《今日美国》（USA Today）上长篇累牍地告诉你降低胆固醇的重要性呢？正是制药公司。为什么没有人刊登电视或报纸广告来告诉你降低高半胱氨酸水平的重要性呢？因为销售维生素 B_{12}、维生素 B_6 和叶酸根本不可能赚到那么多钱。令人悲哀的是，我们陷入了制药行业的波浪效应。这会不会正是迈考利医生失去了他在哈佛的研究资金和他的工作的根本原因呢？

迈考利医生对这种拜金主义有自己的看法，他质问到底谁能从不教育人们高半胱氨酸的威胁性中获得最大的好处。"过去几百年来，使人类平均寿命得到最大提高的是公共保健，而不是药物，"他说道，"但是众所周知公共保健是无利可图的。没有人能从预防疾病中获利。他们的利润来自药物——对疾病的严重的晚期阶段进行治疗。"

[高半胱氨酸有没有健康水平呢？]

与身体必需的可以制造特定细胞构造的胆固醇不同,高半胱氨酸对健康完全没有好处。高半胱氨酸水平越高,罹患心血管疾病的可能性越高。相反,高半胱氨酸水平越低越好。高半胱氨酸没有所谓健康水平的尺度。你想要的高半胱氨酸水平应该是尽可能的低。

大多数实验室会报称5到15微克／升（每升血液中含有多少微克）的高半胱氨酸水平属于正常范围。但是医学界发现当这一水平升高到7微克／升时,心血管疾病发病率就会明显提高。多数病人都希望高半胱氨酸水平低于7微克／升。如果你的高半胱氨酸水平超过了12微克／升,那么你的麻烦就大了。

每当医学界发现一种新的实体,也就是致病因素时,测试标准总是会远远滞后。这在胆固醇测试中就是如此,在高半胱氨酸测试中也会如此。因此,不要听从医生们的安慰,他们可能会告诉你高半胱氨酸水平在10到12微克／升之间是正常的,不用担心。如果你没有明显的心血管疾病迹象时,你应该使你的高半胱氨酸水平至少保持在9微克／升以下；如果你已经有心血管疾病症状或者别的心脏疾病因素时,至少要降到7微克／升以下。

[怎样才能降低高半胱氨酸水平？]

高半胱氨酸水平过高这一问题实际上有两个方面。一方面是你的食谱中含有的蛋氨酸数量,你的身体必须代谢和分解它。这就要求你注意控制肉类和蛋奶制品的摄取量。有趣的是这些产品中的饱和脂肪和胆固醇都非常高。当然，我们需要用更多的水果和蔬菜，以及植物蛋白来取代这些食品。我知道蛋氨酸是一种基本的氨基酸；但是看看现在美国人的食谱吧，我们总是会过量地摄取它。

硬币的另一面就是补充足够的叶酸、维生素 B_6 和维生素 B_{12}，这样用来分解高半胱氨酸的辅酶系统就能有效地工作。我们有趣地注意到，所有证明高半胱氨酸有害的研究结果都显示患者体内维生素B族的水平过低。我建议所有的病人都摄取1000mcg（微克）叶酸，50到150mcg维生素 B_{12} 和25到50mg（毫克）维生素 B_6。

要记住，高半胱氨酸的水平越低越好。我希望每个人的水平都尽可能地降到最低。一旦我的病人的高半胱氨酸水平高于9微克／升时，我就开始让他们补充维生素 B 族并且在6到8周之后复查他们的血液水平。

通过采用这种维生素 B 体制，高半胱氨酸水平一般都会降低大概15到75个百分点。但是仅用维生素 B 族时，并非每个病人的反应都会那么明显。对我来说，这意味着这些病人的整个甲基化反应有问题，这是身体用来把高半胱氨酸变为身体中良性无害的产品的生物化学过程。

[甲基化反应缺乏]

甲基化反应缺乏不仅是高半胱氨酸水平增高的原因之一,它还是一些重要慢性退行性疾病的关键病因之一，特别是一些癌症和阿滋海默症。事实上当我正在撰写这一章的时候，刚好有一项研究报告称，现在已经有一种最新的能够判断谁最有可能罹患阿滋海默症的检测手段被发明出来。你能猜到这种最新的检测手段是什么吗？是的——就是血液中高半胱氨酸水平的检查。我们在过去几年里已经在实验室里做过这种检查了，因为它表明高半胱氨酸水平过高不仅能显示维生素B族缺乏，而且也是身体"甲基"（methyl）供体缺乏的标志。甲基供体不仅是降低高半胱氨酸水平的要素，而且也能制造大脑所需的重要养分。

最便宜的甲基供体是甜菜碱，也称三甲基甘氨酸（trimethylglycine，TMG），它对降低高半胱氨酸水平有非常好的疗效。如果高半胱氨酸水平没有降低到期待值，我会在每日的维生素B族补充之外再增加1—5克三甲基甘氨酸。

[凯尔默·迈考利医生的结论]

1997年8月10日，《纽约时代杂志》（New York Times Magazine）刊登了一篇故事，标题为"凯尔默·迈考利的浮沉"。这篇文章详细介绍了他的故事的结局，并且给出了一个令我们甚为关注的前景：

> 迈考利简要地指出，当前失望的乌云一定笼罩得比20年前更加浓密。"去年10月份的时候，"他说，"马萨诸塞州综合医院病理科重组并邀请我参加，我看到了一个与我当时离开该部门有关的人。'嗯，'他对我说，'看起来你的确是对的。'这已经是20年后了。我的职业生涯已经几乎结束了。我们失去的将近20年的时间已经无以挽回了，不是吗？"

更不幸的是，已经阻挠了迈考利的政治和经济压力在今天可能比当时更为严酷。去年4月，《新英格兰医学杂志》刊登了一篇标题为《被攻击的使者——研究者们受到特殊利益集团的胁迫》的文章，文章详细讲述了三个受到辩护群体、医学协会或学术顾问组织压制的事例，这些群体往往不会告诉外界他们与制药公司的紧密关系。由于在决定哪些研究可以获得资助和推动时，这些群体施加的压力越来越大，文章说道："这种斗争会变得越来越频繁和严酷。"

迈考利早就知道高半胱氨酸的危害。我相信他当时也知道服用维生素B族对减少这种危害不仅便宜和有效，而且也很安全。他所对抗的是一个政治巨人。但是现在毕竟真相大白了。留给我们的思考是，为什么医生们仍然不愿意检查他们病人的高半胱氨酸水平。你的医生所不知道的事物可能会让你丧命。特别是在你发现高半胱氨酸即使不比胆固醇更危险，也是一种非常重要的心脏病致病因素这一事实后。

关于心脏病的新实验

1、高敏 CRP

当医学界开始意识到冠心病从本质上来说是一种炎症而不是胆固醇疾病时，医学杂志上出现了更多的研究报告来告诉医生们评估病人最有效的方法。人们进行了一些研究来检查体内能证明动脉中炎症数量的各种物质。

其中一项很受推崇的血液检测就是高敏C-反应蛋白(hs CRP)。这种检测可以衡量当前动脉炎症状况。而这种检测实际上是一个比胆固醇水平更好的能判断谁会罹患心脏疾病的预测方法。为什么不是呢？实际上做高敏CRP检测能帮助医生们发现那些胆固醇水平正常却仍有可能得上心血管疾病的病人。

2、高半胱氨酸血液水平

检查病人空腹时的高半胱氨酸血液水平不仅容易而且对判断他们是否有致病倾向非常重要。现在各实验室已经开始对这一检测进行标准化，希望它的价格能够变得更加可以接受。现在一次血清高半胱氨酸浓度检测的价格是45-150美元。

3、心脏钙化程度

现在大多数的医疗中心已经改进了他们的CT扫描仪，以便能够判断冠状动脉中的钙化，也就是斑块堆积的程度，但是它的费用通常在250-600美元之间。我建议所有有明显致病因素或者家族有很多心脏疾病病史的病人接受这种检查。

如果检查结果显示了钙化的存在，就能帮助医生理解问题的严重性和决定治疗的积极程度。要记住，超过30％的人在第一次心脏病发作的时候就会猝死。我已经发现这一工具对我的病人很有帮助，而且病人很愿意配合。

※　　※　　※　　※　　※

我建议你要求你的私人医生对你进行其中一项，或者所有的检测。你可以先咨询一下你的保险公司，看看你的保险是否也包含这些检测费用。这些检测手段与传统的生化检查和胆固醇检查一样，可以帮助我们确定病人是否有可能患上心血管疾病。显然，每个医生都应该会关注这一点，以预防或减缓病人的病情，这样他们就可以永远不用求助于外科医生的手术。你难道不也是这样认为的么？

第7章 心肌炎：治愈的新希望

韦恩是一个陪伴了我一生的朋友。我们一起在南达科他州密苏里河畔的一个小城里长大。他的父亲是我中学时的棒球教练，而且，虽然韦恩年纪比我小，我们总是在体育运动中肩并肩地竞争。事实上，当我还是一名高中生的时候，我就创造了一项半英里短跑的本地高中田径记录；不过韦恩两年后打破了这一记录。韦恩和我都去了南达科他州大学读书，我们在那里一起参加南达科他州大学田径队。大学毕业以后，韦恩仍坚持他的体育训练，他是一个很优秀的自行车选手，而且偶而还会参加赛跑。我很敬佩他这种坚持不懈保持体能巅峰状态的精神。

因为知道他的体育爱好，所以当我这位朋友在一个仲夏日里走进我的办公室时，我感到很奇怪。韦恩看上去脸色苍白，而且跟我抱怨他的心脏感觉像是要跳出胸腔一样。这个曾经与我竞争的人现在看起来非常疲惫而衰竭，他告诉我他3个月前得了一次严重的流感，而且看来一直都没好。而且他所做的一切努力好像都使他的健康状况更糟糕。他是一家餐馆的经理，他不知道该怎样才能继续工作了——这项工作对他的身体来说已经是雪上加霜了。

当我对我的朋友进行检查的时候，我立即注意到他的心脏的确跳动得非常快而且不规律。韦恩的心跳听起来就像一台洗衣机。显然，他的麻烦大了，我告诉他必须去医院检查。

韦恩直接去了医院，在那里有一位本地的心脏病专家对他进行了检查。X光片显示韦恩的心脏明显地增大，医生立即要求他做超声波心动图检查（一种能检查心脏的声波）。检查结果是令人震惊的：韦恩的心脏射血率（一个衡量心跳强弱的指标）只有17%。正常的射血率应该是在50%到70%之间。当射血率低于30%的时候，病人就可以被列入心脏移植名单了。韦恩的心脏非常大，充满了血块，而且还有心房颤动（不规则跳动）。他的情况很严重。

这位心脏病专家对他进行了心导管插入术，他在韦恩的心脏和冠状动脉内插入了一个特殊的导管。他的动脉没有问题，但是心脏明显受损。下一项测试是心脏肌肉的活组织切片检查，检查结果表明这是由于心脏受到病毒感染导致的，韦恩得了心肌炎（心脏肌肉严重衰弱）。这一感染很可能就是发生在春天，也就是韦恩说他得了流感的时候。实际上，他患上了病毒性心肌炎，这一炎症对他的心脏造成了极大的伤害。

这位心脏病专家给韦恩开了香豆素抗凝血剂和其他几种药物来使他的心脏强壮。这样虽然他非常虚弱而且几乎走不动路，但是，总算能够离开医院了。

几周后对韦恩心脏的复查显示他的射血率已经提高到23%。但是这位心脏病专家并不十分乐观，而且感觉韦恩可能永远也不会恢复健康。他的心脏仍然充满了血块，而且还是有心房颤动。

这位心脏病专家能给出的唯一的一个选择就是建议韦恩去明尼阿波利斯市的雅培西北医院（Abbott Northwestern）申请心脏移植。

你能想象我是多么难开口与我的病人，我的朋友，来讨论这件事。我还不得不通知韦恩的父母，这两位我从小就敬爱的人，他们儿子的生命非常危险。更让人痛苦的是，最近，他们的小儿子刚被肺癌夺去了生命。我看上去就像一个只会带来绝望的信使。

但是韦恩不愿意去明尼阿波利斯，他选择留下来与这位本地的心脏病专家合作，并且定期来拜访我。我们让他在坚持服用其他药物的同时还让他服用一种强效抗氧化剂和矿物质。他的血块终于清除了，心脏病专家也终于通过电震疗法使韦恩的心律恢复了正常。

大约此时，就在我与妻子莉斯飞往大西北的路上，她给我展示了一篇她正在看的关于一种天然营养成分辅酶Q10的报告。莉斯把这篇德克萨斯州泰勒市的心脏病专家和生物化学家彼得·兰斯乔恩（Peter Langsjoen）医生写的文章递给我。兰斯乔恩医生已经通过在心肌炎患者的日常药物中增加辅酶Q10使他们的健康得到了显著的好转。

我一回到家就立即彻底地研究了这本医学杂志中介绍的辅酶Q10的用法，并且认定在我的朋友身上进行测试是安全的。韦恩还能失去什么呢？我要求他第二天来我的办公室并且按照兰斯乔恩医生的用量让他开始服药。

由于韦恩被他的心脏病专家监控得很厉害，所以接下去的3、4个月里我都没见过他，而当他重新来到我的办公室时，他是来与我讨论他能否申请完全残疾补助的。我的希望破灭了。完全残疾？韦恩解释说这是由于他过去8个月里都没有去工作，他的朋友和商业伙伴都强烈敦促他考虑申请残疾。但是当我问他自己感觉如何的时候，他告诉我他感觉很好，而且实际上已经可以每天骑五英里的自行车了。他甚至已经可以稍微跑一下了。

我乐了，我告诉韦恩，他的活动能力已经有了那么大的好转，我实在没办法建议他申请残疾。我提议再做一次超声波心动图看看他的心脏现在怎么样了。他同意了。当我拿到结果的时候，我惊呆了。韦恩的射血率已经重新回复正常，达到了51%！他能奇迹般地好转，唯一的解释就是虔诚的祈祷和补充了辅酶Q10。

第二周我跑到韦恩的心脏病专家的休息室，很高兴地告诉他在我病人身上发生的事情。但是这位心脏病专家对我的狂喜反应很冷淡。他完全不相信我。而且他坚持要在"他自己的"机器上再给韦恩做一次超声波心动图。

韦恩被叫到心脏病专家的办公室,但是接下去的几个星期我一直没听到任何结果。最后我终于收到了一封信,告诉我韦恩的射血率在这位心脏病专家的机器上显示的结果是58%。太棒了! 这比原来的更好了,我想到。

收到这封信一个星期以后,当我正在医生休息室里吃东西的时候,这位心脏病专家来找我了。惊讶于韦恩的好转,这位医生很想看到一些关于辅酶Q10的研究报告。我告诉他我会尽快给他送几份报告过去。

"雷,"他说,"你让我想起了一个我交班时在电台上听到的一个医生的事。他会讨论所有这些关于营养补充的医学研究。我当时认为他肯定是疯了。抨击他的话题成为我们当时在医院最热门的消遣。天啊,我们简直像要把他撕碎了。"

这位心脏病专家继续说道:"其中最反对的医生是吉姆 (Jim)。他在医生休息室里把这个人从头到脚说得一无是处。接下去的几个月他一直如此,直到有一天吉姆的搭档跟他顶嘴:'吉姆,如果你对这东西那么反感,那你还吃这些营养补充干什么?'"

"'呃,'吉姆回答说,'那是怕万一是我错了呢。'"

韦恩没有去申请残疾,他重新回去全日工作了。他第一次来我办公室是在4年多以前。我的这位朋友现在已经可以做他想做的任何体育锻炼了,而且他的超声波心动图复查一直显示他的射血率正常。

我向你保证,韦恩的心脏其实并没有"痊愈"。他仍然患有心肌炎。但是添加了辅酶Q10以后,韦恩的心脏有了必需的能源,这使他的心脏能够不再虚弱。

[心脏肌肉的疾病]

心脏并不是一个很复杂的器官。它基本上是肌肉组织,主要的功能就是把血液泵到身体的各个部位。在上面几章里,我们的注意力主要集中在为心脏提供血液的冠状动脉。在本章，我们会着重于研究心脏肌肉本身。

充血性心力衰竭和心肌炎都是心脏肌肉的疾病。

心脏肌肉是通过一套电信号系统的刺激来协调和有效地跳动。心脏瓣膜随之开启和闭合，使血液能够有效地通过心脏的四个心室。由于这些肌肉承担着向身体各个器官供应维生所必需的血液的职责，所以心脏必须永远不断地跳动，这就要求我们为心脏提供很高的能量。

充血性心力衰竭和心肌炎的发生有许多原因：例如，高血压、反复或严重的心脏病发作、病毒感染和狼疮或硬皮病等渗透性心脏疾病。这些情况都能削弱心脏肌肉的力量，使它不能处理来自身体各部位的血液。心脏试图通过增大体积和跳动更快来弥补它的不足。但是血液最终还是回流到各个器官里，使它们充血。这就叫做充血性心力衰竭。病人实际上开始被他们自己的血液所充满。有时候这种衰竭主要发生在心脏的右侧，这就会导致肝脏的充血而使病人的腿部肿胀。

当病人的心脏开始严重衰弱而且扩张的时候，正如韦恩的情况，医生们把它称为心肌炎。心肌炎是一种非常严重的充血性心力衰竭。心脏异乎寻常的增大和扩张是它的特点。

[什么是辅酶Q10]

辅酶Q10（CoQ10）也称泛醌，它是一种脂溶性的维生素或维生素类物质，它也是一种有效的抗氧化物质。各种食物，例如动物器官、牛肉、豆油、沙丁鱼、鲭鱼和花生中都含有微量的CoQ10。我们的身体也能够用一种名为酪胺酸的氨基酸合成CoQ10，但是这个过程非常复杂，需要至少8种维生素和一些微量矿物质才能完成。缺少任意一样营养，身体都无法自然生成CoQ10。

辅酶是一些对体内大量酶化反应来说非常关键的因子。体内细胞线粒体所需要的至少3种非常重要的酶都需要CoQ10因子。要知道线粒体的作用相当于细胞熔炉所需的电池，细胞的能量正是在这里生成的。我们需要线粒体酶来制造高能量的磷酸盐、腺苷和三磷酸盐以便完成所有的细胞功能。

你还记得吗，线粒体正是氧化压力形成的地方。不仅能量来源于此，一些危险的副产品，自由基也在这里生成。作为一种强效抗氧化剂，CoQ10对中和自由基非常重要；不过它在这里最重要的功能还是帮助产生能量。

能帮助人类补充线粒体的CoQ10最早是由弗雷得里克·克雷恩（Frederick Crane）医生在1975年从牛的心脏线粒体中分离出来的。1958年，卡尔·弗克斯和他默克公司（Merck，Inc.）的同事们确定了CoQ10的准确化学结构并开始人工合成CoQ10。日本人在20世纪70年代中期完善了这一技术，因此现在人们已经能够大量生产纯净的CoQ10。

[CoQ10不足与心力衰竭]

大量的调查不仅显示了的正常血液含量；这些实验还表明心力衰竭的程度与CoQ10的缺乏程度直接相关。牙龈疾病、癌症、心脏疾病和糖尿病患者的CoQ10数量明显缺乏。不过只有在充血性心力衰竭和心肌炎患者的血液检查中，CoQ10水平的缺乏程度才被最明确地界定出来。

导致CoQ10不足的原因有如下几点：饮食失衡，身体合成CoQ10的机能受损和／或身体过度消耗CoQ10。

研究者们从20世纪80年代初期开始对服用CoQ10的病人进行实验。在过去的20年里，人们对此兴趣不减，而且进行了许多实验来检查CoQ10对心肌炎和充血性心力衰竭病人的疗效。到现在全世界已经有至少九次这样的对照控制临床实验。人们已经举办了八次国际性座谈会来讨论CoQ10的生物医学和临床效果，来自十八个不同国家的医生和科学家提交了超过三百页的报告。

这些国际性研究中，最大型的一次是由巴乔联合公司（Baggio and Associates）进行的意大利多中心实验（Italian Multi-Center Trial），调查对象包括2664名心力衰竭病人。在这次研究中，将近80%的病人在服用CoQ10后健康得到改善，其中54%的病人的三大心力衰竭病症都显著减轻。简单地说吧，科学研究和实际生活事例都显示补充CoQ10对治疗这些生命受到威胁的心脏病患者有很大的帮助。虽然CoQ10不能根治这些疾病，但是它肯定可以减缓病情。

[心肌炎患者的治疗]

你有没有想过心脏移植的费用呢？你猜到了吗？是25万美元。

你有没有意识到超过两万名年龄不到65岁的病人正在等待心脏移植？另外上万名超过了65岁的病人也患有心肌炎，但是由于年龄问题，他们甚至没有资格去接受心脏移植。虽然他们可能正接受着最大程度的医疗，但是却仍然属于完全残疾。而实际上有资格申请心脏移植的病人10个中间只有1个人能够真正地接受移植；其他9个人通常很快就死于这种疾病。这些数字还不包括数10万正在被充血性心力衰竭所折磨的病人。

1992年，弗克斯和兰斯乔恩医生在医学杂志上刊登了一篇研究报告，我相信它能解决这种困难的情况。他们选择了11位典型的需要心脏移植的患者来服用CoQ10。根据纽约心脏病协会的指导标准（见后表），其中3名患者的病情从最严重的第四等转变为最轻的第一等。4名患者从第三和第四等减轻到第二等，另外2名从第三等减轻到第一等。

纽约心脏病协会对功能状态的分类

第一等：体力活动无限制；正常的体力活动不会导致不正常的疲乏、呼吸急促或心悸。

第二等：体力活动稍受限制；这种病人在休息的时候感觉良好。正常的体力活动会导致疲乏、心悸、呼吸急促或心绞痛。

第三等：体力活动明显受限制，虽然病人在休息的时候感觉良好，但是还未达到正常水平的体力活动就会导致上述症状。

第四等：完全无法舒适地进行任何体力活动；充血性心力衰弱的症状在休息的时候也会表现出来。任何的体力活动都会加剧不适和病症。

根据这些已经在医学杂志上刊登出来的真实的临床实验，弗克斯和兰斯乔恩提出了在晚期心力衰竭而不得不等待心脏移植的病人身上使用CoQ10不仅安全而且有效的不容置疑的证据。

几次临床实验都显示，这是一种安全有效的天然的维生素/抗氧化物质。它的本质是营养药物。当心脏肌肉由于任何原因而变虚弱时，我们都必须增加心脏细胞所需的营养来产生能量。由于这些营养消耗非常厉害，心脏肌肉最后会缺乏CoQ10，这是产生能量所需要的最重要的营养。当病人补充这种营养时，虚弱的心脏肌肉就能重新补充它的CoQ10存量，产生更多的能量，使虚弱的状态得到改善。

医生们应该把CoQ10作为传统医疗手段的补充，而不是用它来取代这些医疗手段。这是一种补充药物，不是替代药物。虽然在这些研究中，许多病人的健康都得到非常明显的好转，以至于可以停用一些药物，但是他们所患的心脏疾病并没有得到根治。

很重要的一点是，这些病人应该长期坚持补充CoQ10。临床实验指出，当病人们停止服用CoQ10后，这种必需的能源会重新枯竭，心脏功能会缓慢下滑到原来的衰弱水平。另一方面，兰斯乔恩医生在一项持续了6年的研究后指出，持续服用 CoQ10 的病人心脏功能一直保持良好。

[为什么医生们不推荐 CoQ10 呢？]

我们在这里讲的是一种能威胁到我们的生命，而且传统医疗方法基本无效的疾病。服用 CoQ10 每天只需要花大约 1 美元。且不说能够减少的住院费吧，它比大多数病人正在等着要交的 25 万美元的心脏移植便宜多了！另外，使用 CoQ10 还从来没有出现过任何副作用或其他问题。事实上，多数实验显示病人的健康都在 4 个月内得到了明显的好转。那么为什么医生们不建议他们的心肌炎患者先试用 CoQ10 呢？

医生们所不知道的事物就可能要了你的命。

我从来没在任何医学会议上听到人们研究 CoQ10 的使用，除了与韦恩的医生的交流以外也没听到任何心脏病专家讨论此事。而且我也从没听说任何心脏病专家让我的心力衰竭或心肌炎病人服用 CoQ10。研究完这些实验报告之后，我也惊讶地发现医学专家们是那么不愿意建议他们的病人使用 CoQ10。在美国，只有 1% 的心脏病专家会建议他们的心力衰竭或心肌炎病人使用 CoQ10。看上去他们根本就没把它当作一个很好的补充疗法。

国家健康研究所资助了大多数的美国 CoQ10 研究。但是与那些人工合成的药物不同，CoQ10 是一种天然产品，因此不能在 FDA 申请专利。没有经济利益驱动的话，制药公司可不会为 CoQ10 这样的天然产品支付 3 亿 5 千万美元的必须费用来通过 FDA 的认可。而且，公司向医生们推广使用他们的药物的成本也是非常高昂的。所以这是根本不可能的事。

我来告诉你为什么医生们不推荐使用 CoQ10 吧。医生们都是药物导向的。我们了解药物，但是我们不大了解天然产品。虽然我们不愿意承认,但是每天来办公室找我们的药厂的销售代表们在很大程度上控制了我们对新疗法的认识程度。我还没有碰到过一个医药销售代表来给我看一个关于 CoQ10 和它对心肌炎的疗效的研究报告。这样做明显无利可图。

[爱玛的故事]

我的病人爱玛刚刚 80 出头,是一个开朗的人。大约 4 年前,她的心脏病专家诊断出她得了心肌炎。她的射血率只有 20%,严重地影响了她的生活。她的心脏病专家给她开了一些药,其中包括控制她的心律失常的脏得乐(盐酸胺碘酮)。但是这种药使她感觉非常不适,她很快就对它无法下咽。这种药不仅使她体重下降,而且还破坏了她的甲状腺。医生开始治疗她的甲状腺,但是不用说,爱玛病的还是很严重。她的心脏病专家没有给她带来多少希望,而且由于她的年纪,她是肯定不能申请心脏移植的。

爱玛接受的传统治疗使她变得更差了。

绝望中的爱玛来找我,因为她听说了我能帮助其他一些有类似问题的人。在对我的新病人做了评估以后,我知道她对脏得乐反应特别厉害。她想停用这种药,我也同意了。我个人感觉如果她继续服用这种药的话,她最多只能再活一两个月了。在让她停用脏得乐以后,我让我的病人开始每天服用 300mg 的 CoQ10。

让爱玛高兴的是,她的胃口和力量明显好转了,而且她的呼吸急促也明显减少了。她的体力活动能力很快恢复到正常了。4 个月后,她的心脏病专家对她做了超声波心动图复查,并且很高兴地发现她的射血率已经恢复到 42% 了。

爱玛开始更关心她的关节炎而不是心脏了。实际上她已经可以做左边膝关节的移植手术了——对一位曾经被认为无法生存的女士来说这真的不错了!

从爱玛得知心脏病专家对她的诊断到现在已经有4年了，她现在还在过着健康和幸福的生活。

※　　※　　※　　※　　※

医生必须成为病人的动力。医生必须学习和理解天然产品对病人的帮助。这是一个无需我多言的规律：当我们支持身体的自然功能，并且试着使它提高到最佳水平，这时，而且只有在这时我们才算尽了一切努力去改善健康水平。

补充营养物质来调节这种功能应该被称为辅助疗法。心肌炎病人应该坚持他们的治疗，但是要添加完善和均衡的抗氧化物剂和矿物质药片，以及高量的 CoQ10（每天 300 到 500mg），我们能支持虚弱的心脏执行自然的功能，病人的健康状况会明显地改善。

第8章　化学预防与癌症

　　对我来说，没有什么比要告诉病人他得了癌症更痛苦的事了。但是诊断癌症还是我工作中一个必须例行汇报的诊断。全国各地的医生们都必须像我一样告诉他们的病人这一严酷的消息：美国今年会有超过130万新病例被确诊。

　　在纽约市时代广场下一次被炸之前，会有大约55万名病人死于癌症。虽然在过去20年间，我们已在癌症研究上花费了250亿美元，但是癌症死亡数量在同一时期内实际上是有增无减。研究者和临床医生们都已开始关心一个问题——是时候重新检讨我们的癌症预防和治疗方法了。

　　但是你也许会问，我们的研究不是已经取得了一些重大成果吗？的确如此。我们有了一些进步，但是这些进步主要集中在如何能够尽早检测出某些癌症的领域，例如用乳房X光照片检测乳腺癌和用PSA测试检测前列腺癌。

　　难道我们所希望的仅仅是尽早检测出癌症吗？不。在本章里，我们会讨论一些癌症领域的最新成果，以及你应该如何减少患上癌症的可能性。

[癌症和它的原因]

看起来，现在我们每天所做的任何事情，所吃的任何东西都能导致癌症，不是吗？在阳光下过度曝晒会增加皮肤癌的可能性。石棉工人得一种不常见的名为间皮瘤的癌症的可能性比较大。吸烟和二手烟使肺癌成为癌症死亡的主要原因。辐射、木炭、熏烤食物、食谱中脂肪过多、糖精，以及除草剂和杀虫剂中的许多其他化学成分都被医学界称为致癌物质，或者说这些东西可以增加我们患癌症的可能性。

从最早报告的扫烟囱的工人由于经常接触煤烟所以患阴囊癌的可能性较大以来，我们越来越害怕我们的环境，而且这种担心是对的。正如我早前所提到的，我们的身体接触到的化学物质比我们的先辈要多很多。那么所有这些致癌物质的共同点是什么呢？你可能会猜到。他们都能增加氧化压力。这就是理解对抗癌症的新策略的关键所在。

[氧化压力是癌症的原因]

许多研究者都对癌症的根本原因提出过自己的见解。但是不幸的是，这些理论都不能完全地解释癌症的各个方面和这种疾病在人体内的发展过程。

为了解答这个医学难题，彼得·柯维世 (Peter Kovacic) 医生2001年在《当代化学药物》杂志上刊登了一篇综合性的文章。他在文章中说道："在众多已被提出的理论中，氧化压力是最综合的，而且它还会一直如此。它能合理解释和把多数与癌变过程（癌症的演化过程）有关的方面关联起来。"

柯维世的研究增加了正在积累中的医学证据，证明自由基过多可导致它们出现在细胞核附近，并能导致细胞DNA的明显受损。细胞核的DNA在细胞分裂，也就是DNA链松散并延伸出来的时候是最脆弱的。

研究者们现在已经确信自由基不仅能破坏细胞的DNA核，而且更经常破坏的是DNA链。

在遇到致癌物质的冲击时，身体的MASH部队会忙于修复被破坏的DNA。但是当氧化压力加重时，自由基的破坏会大于修复系统的作用，并能导致DNA突变。自由基会破坏DNA的基因结构，导致细胞的不正常。当这些细胞继续复制时，突变的DNA就被带入每个新生成的细胞。当细胞这种突变的DNA受到进一步的氧化压力时，就会出现更大的破坏。这种细胞会开始不受控制地生长，并且有了它自己的发展规律。它变得能够从身体的一部分传播到另一部分（转移），这样就形成了真正意义上的癌症（见图1）。

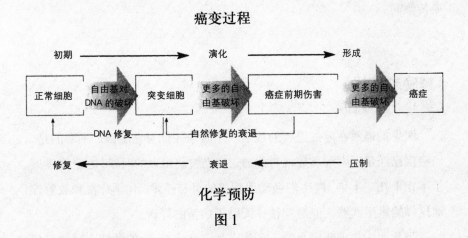

癌变过程

图1

[多级的进程]

西雅图的生物化学家当纳德·麦林斯（Donald Malins）医生提出了一种识别乳腺癌DNA组织结构变化的新方法。通过使用一种能反射DNA红外线辐射的仪器并用一台复杂的电脑设备分析信号，他能够找出由自由基导致的DNA结构破坏。

研究者们同意麦林斯医生的看法，认为癌症是一个通常需要数十年去完成的多级进程。癌症在成年人中可能需要20甚至30年才能从最初的DNA突变发展为最后的完整表现。在儿童中，由于细胞分裂更快，所以这种进程也可能发展得更快。

麦林斯在研究从正常乳腺组织到乳腺癌的各个进程的过程中注意到了其DNA结构的改变。麦林斯医生相信，正是氧化压力导致了这种可预见的DNA破坏，并且最终导致了乳腺癌的形成。他进一步地指出，癌症的原因并不是由于基因功能紊乱，而是由于高活性的自由基导致的基因破坏。

在过去的25年里，研究者们一直相信基因异常是所有癌症的根本原因。但是研究者们现在已经开始相信，实际上是有特定基因的个体比其他人更容易受到氧化压力的伤害。这也许能够解释许多种癌症的家族遗传倾向。

[越晚越花钱]

医生们通常在癌症进程的最后一个阶段才能对它确诊。不幸的是，当癌症已经足以引起病症或者能通过X光检测出来的时候，它已经发展了不止十几二十年。医生们会动用积极的外科手术、化学疗法和放射疗法这样的重型武器，但是却往往无助于病情的好转。

当我上一次诊断出我的一名病人患了肺癌时，他的肿瘤专家建议他采用化学疗法，并称他有40%的把握能减轻肺癌。我的病人听到这个数据时还略受鼓舞，直到他问医生所谓的"减轻"到底是什么意思。肿瘤专家回答："如果我能成功地减轻你的肺癌的话，你的生命还能延长大概3个月。"不用问，这肯定不是我的病人曾经希望听到的答案。这就是多数癌症病人会碰到的典型而悲哀的事情。

当我的病人被诊断为晚期脑瘤时，放射科专家说这种疗法大概有1%的可能性能够延长她的生命。她不顾我的反对接受了这种治疗。在与不仅是癌症，而且还有治疗带给她的虚弱和疾病战斗了6个月后，她过世了。一种积极治疗方法可能可以延长数月、一年，甚至更长时间的生命，但是我们的病人和他们的爱人为了获得这些许的疗效所必须忍受的痛苦，对这些已经非常脆弱的生命来说，实在是太残酷了。

　　我们现在正在输掉这场对癌症发起的战争。有人会怀疑为了降低死亡数字，我们必须从这种恶性疾病发展的早期阶段着手攻击吗？你要知道，我们的确还有希望。理解了氧化压力在癌症发展过程中所起的作用，就能为我们提供许多预防和治疗癌症的新希望。

[预防癌症 ＝ 化学预防]

　　因为我们已经开始理解了癌症的根本原因，我们也有了更多的治疗选择。由于癌症是一个需要多年发展时间的多级进程，所以我们有无数的机会干预这一进程。

　　在癌症的最初阶段，我们可以看到变化基本上只限于DNA核内部。自由基攻击所导致的DNA突变通过细胞复制传递到随后生成的每个细胞。由于自由基进一步对细胞产生破坏，癌症前期的肿瘤最终开始形成。这是我们临床上能够最早判断出来的阶段。最后一个极端是完全恶性，也就是癌症的形成，它有能力从身体的一个部位转移到另一个部位。

　　与其他在最后阶段攻击癌症的疗法不同，化学预防主要着重在最早期预防癌症的形成。要记住，平衡是关键。如果我们拥有足够的抗氧化物质，氧化压力就不会发生，细胞核内的DNA就不会受到最初的破坏。再想象一下那个火炉的比喻吧。如果炉火前面有防护墙的话，火星就不会蹦到外面的地毯上。

　　化学预防还可以用于修复那些已经对细胞造成的破坏。正如你在第4章中所学到的，我们的身体有着惊人的自我修复能力（还记得MASH野战医院吗）。我们现在来仔细研究一下化学预防通过三个步骤来对付癌症的策略，以及每个步骤对身体的作用。

化学预防第 1 步：降低风险

预防癌症的第一要素是显而易见的：尽可能避免（或至少减少）暴露在致癌物质（我们已知能增加癌症可能性的化学物质）中。虽然看上去显而易见，但是这一步实际上说起来比做起来要容易多了。下面这些步骤是你应该立即采取的，这样才能降低你得癌症的可能性：

1、戒烟！香烟烟雾对许多暴露在其中的人来说是最厉害的致癌物质。虽然尼古丁的成瘾性极大，但是我们也必须设法摆脱尼古丁和香烟烟雾中的各种致癌物质。烟民们体内的自由基数量急剧增多。虽然危害较轻，但是二手烟也是一个非常重要的氧化压力因素。

2、减少日晒。众所周知，UVA 和 UVB 射线都是致癌物质。我强烈建议人们选用这两种射线都能抵御的防晒用品。这是一个你不能缺少的原则。父母们，保护你们的孩子吧。

3、减少食物中所含脂肪。已知过量摄取肉类脂肪可以增加氧化压力，特别是在同一餐里缺乏相应数量的抗氧化物质时。我们必须减少饱和脂肪的摄取，确保每天至少使用七客水果和蔬菜，以及至少 35 克的纤维素。(我知道你以前就听说过这些；但是只有 9% 不到的人会采纳这一建议！)

4、注意其他致癌物质。随时随地注意减少暴露在可导致癌症的情况中，例如辐射、杀虫剂、除草剂、石棉、木炭、煤烟等等，把它们从你的家庭环境中清除出去。

有一条原则是你应该知道的，只要减少暴露在所有这些致癌物质中，我们就能减少身体必须对抗的自由基的数量。例如，我很难为每天要抽两包烟的病人列出一个能包含足够营养补充的健康食谱。因为我知道它的作用不会很大；而且除非他戒烟，否则减少癌症的可能性肯定会受影响。

化学预防第 2 步：最大程度地增强身体的抗氧化和免疫系统

我们不可能避免接触环境中所有这些致癌物质和化学物质。我们还得生活在这个世界中。总是因为"那会是什么"而疑神疑鬼，这样会剥夺我们完整而充实的生活。正如你已知道的，仅仅是我们需要氧气去生存这一事实就已经明显增加了我们受到氧化压力伤害的可能性。因此，最好的策略不是逃避，而是最大程度地强化我们自身的免疫系统和抗氧化防御机制。而这就要从健康饮食开始。

如果说氧化压力的确就是癌症的根本原因，那么用来中和自由基的抗氧化物质就能降低癌症的可能性的说法看上就很符合逻辑。而且这一逻辑也已被证明是正确的。癌症研究专家格雷斯·布洛克（Gladys Block）医生在世界各地所进行的172项关于饮食和癌症之间关系的流行病研究时就遵循了这一正确的逻辑。布洛克医生发现了一个通用而且永恒的规律：那些食用水果和蔬菜（抗氧化物质的主要来源）量最大的人们得各种癌症的可能性明显较低。从得多数癌症的可能性的角度比较，食用水果和蔬菜最多的人比最少的人要低二到三倍。

反之亦然，领先的癌症专家布鲁斯·爱米斯（Bruce Ames）医生在接受《美国医学会杂志》的采访时说到，食用水果和蔬菜最少的人患癌症的几率要比食用较多的人高两倍。

只要每天食用5到7客的水果和蔬菜，我们就能把患上几乎所有种类癌症的可能性减少一半。

健康的饮食绝对是对你身体最好的保护。医生给你开的任何药物都不能取代你的身体赖以补充能源的饮食。你会不停地听到我向你强调一个原则，那就是如果你选择补充营养，你就必须合理安排膳食，而不能再继续坚持不健康的饮食。强化免疫系统的第一步就是采用包含大量水果和蔬菜的，高纤维低脂肪的食谱。

不过要进行化学防御，我们还需要做的更多。医学研究正在表明在我们的饮食中补充抗氧化物质对化学防御来说是非常重要的。研究显示，在坚持二十个星期一直采用富含维生素 C、维生素 E 和 β 胡萝卜素的健康食谱后，氧化压力对不论吸烟者还是不吸烟的人体内的DNA的破坏都会明显减少。维生素E还被证明能对抗因锻炼而引起的DNA破坏。

化学预防第3步：增强身体的修复系统

在化学防御的第1步和第2步，我们主要考虑的是减少身体所必须应付的氧化压力的程度，并为身体提供正确的抗氧化物质来预防氧化压力对细胞DNA造成破坏。在第3步里，我们主要集中于研究身体惊人的自我修复系统和一些能帮助细胞修复已形成的明显破坏的营养物质。

癌症前期的损害或者发展使我们有了一个独特的观察化学预防中抗氧化物质运用情况的机会。在体内跟踪这些肿瘤是很困难的，但是人们跟踪身体表面的肿瘤进行了许多研究。这些研究主要针对黏腺白斑病（一种存在于嚼烟者口腔中的癌症前期肿瘤）和子宫颈非典型性增生（子宫颈表面的癌症前期肿瘤）。

我们希望通过观察各种抗氧化物质的使用对这些肿瘤的效果来了解他们对已被破坏的DNA可能产生的作用。要记住，癌症是一个多级的进程，而癌症前期的肿瘤已经属于相对后期的阶段。这个多级进程的下一阶段就是真正癌症的形成。

正如你可以想象到的，人们在预防和治疗黏腺白斑病上做了很多努力。一些研究显示这些嚼烟叶的人体内的抗氧化物质水平都较低。而那些体内抗氧化物质水平最高的人得黏腺白斑病的可能性最小。

哈林达·盖尔沃（Harinder Garewal）医生写了一篇研究文章，指出抗氧化物质不仅能预防口腔癌症，而且可以逆转黏腺白斑病。这篇文章是化学预防第3步的里程碑。他的发现为我们带来了希望，那就是抗氧化物质不仅能够阻止癌症形成的进程，而且实际上可以增强身体的自我修复系统来逆转细胞损害。

我在下面大致列举了一些他所研究过的临床实验。

以下列表是一些关于在癌症前期病人中使用营养补充的研究：

1、在印度进行的一次研究使用的是维生素 A 和 β 胡萝卜素；研究者们观察到黏腺白斑病完全消失的比例比使用安慰剂的病人高 10 倍。

2、一项仅用了 β 胡萝卜素的预实验显示 71% 的黏腺白斑病病人的细胞都恢复了正常。

3、一项仍在美国持续进行的研究中，病人同时服用了 β 胡萝卜素、维生素 C 和维生素 E，研究者们发现有效率为 60%。不正常的癌症前期细胞转变回正常细胞。

4、一项仍在美国持续进行的研究中，病人们只服用了 β 胡萝卜素：他们的好转率为 56%。

5、一项在通过实验手段导致口腔癌症的雄性大颊鼠身上进行的研究，分别和综合地使用了 β 胡萝卜素、维生素 E、谷光甘肽和维生素 C。各组实验结果都有明显好转，但是综合使用的一组取得的疗效最明显。这不仅仅是尽可能多地服用抗氧化物质的附加效应，而是各种营养补充共同协作产生的协同效用。

子宫颈非典型性增生是另一种发生在身体表面的癌症前期肿瘤。一些研究显示，体内 β 胡萝卜素和维生素 C 水平较低的人患子宫颈非典型性增生的可能性明显提高。实际上体内 β 胡萝卜素水平最低的妇女患此病的可能性要比最高的妇女大 2 到 3 倍。每天摄取维生素 C 不足 30 毫克的妇女患子宫颈非典型性增生的可能性比摄取维生素 C 更多的妇女高 10 倍。其他一些流行病研究也显示，饮食中缺乏维生素 A、维生素 E、β 胡萝卜素和维生素 C 可增加患宫颈癌的可能性。

β 胡萝卜素实际上已被证明能防止子宫颈非典型性增生发展为宫颈

癌。另外，一些临床实验也已显示结合使用维生素 C 和 β 胡萝卜素能够逆转子宫颈非典型性增生和减少其发生的可能性。

虽然医学界仍在试图为所有这些特定的癌症找出一种可以成为"特效药"的营养，但是作为一个临床医生，我会试图去找出对我的病人有帮助的原理。在研究完我刚刚介绍的这些实验之后，我确信这些抗氧化物质是协同在一起共同产生作用的。正如我在第 5 章中介绍过的，这意味着我们不仅需要补充各种抗氧化物质，我们还需要补充矿物质（锰、锌、硒和铜等）和能够支持酶化功能的维生素 B 族。

上帝赋予了我们身体不可思议的能力，它既能够保护自己不受氧化压力伤害，而且能够修复细胞 DNA 所遭受的破坏，我对此深感敬畏。一些正在进行的临床实验会进一步判断抗氧化物质在逆转癌症进程中的作用。与此同时，你还记得吗，黏腺白斑病和子宫颈非典型性增生都已是癌症多级进程中比较晚的阶段了，但是研究结果还是表明，当我们为身体提供最佳水平的一些特定的抗氧化物质时，我们的身体仍然可以自我修复。

[如果我已经得了癌症呢？]

我们已经承认可以对那些尚未发展到晚期癌症的病人进行化学预防疗法。而且标准疗法对癌症治疗的作用并不是很有保证。这些疗法包括外科手术（在可行的条件下才能进行）、化学疗法和针对固体肿瘤进行的放射疗法，例如肺部、胸部、结肠等部位的肿瘤。虽然人们对此进行了大量研究，但是这些疗法还是很有局限性。坏的消息不仅如此。虽然证据显示我们对霍奇金氏淋巴瘤、儿童白血病和睾丸癌等癌症的治愈率已经有所提高，但是人们开始更担心会患上继发的癌症以及由于这些治疗所导致的并发症。

好的消息是事实上医学研究已经开始支持补充综合抗氧化物质及其

辅助营养的主张。这种综合疗法可以有效地增强传统化学和放射疗法的作用，同时保护正常细胞不受毒副作用的损害。

[金佰利的故事]

金佰利当时正在加利福尼亚州圣芭芭拉市的威士茂学院（Westmont College）念四年级，正在攻读她的交流艺术学士学位，这时她忽然出现腹部不适和膀胱有压迫感。她去看了校医，医生诊断她得了膀胱细菌感染，并给她开了一些抗生素。但是金佰利的情况还在恶化。她腹部疼痛开始加剧，而且出现了恶心和呕吐的症状。

躺下的时候，她能感觉到下腹部有一块肿物。这明显使她感到恐惧起来，她立即回到医生那里。医生在对她重新进行检查时，他触到了一个如柚子般大小的肿块。他立即对她进行了一项名为 CA 125 的血液检查，这种检查是一种妇科和肠道癌症的检测手段。金佰利的检测指标非常高，医生立即为她安排了外科手术。

金佰利在年仅 21 岁的时候就得了卵巢癌症。这种病在这么年轻的妇女身上并不常见，这一诊断完全出乎她和她的家人的意料。手术之后，医生的看法比较乐观，相信自己已经把它摘除干净了。不过为了保险起见，他还是建议金佰利再去找一下她的肿瘤专家。她的肿瘤专家坚持认为她应该继续进行一些大剂量的化学治疗，这主要是由于她还很年轻——她的面前还有很长一段路要走。

金佰利大约就是在那个时候来咨询我的。她想知道自己在做这些治疗的时候应该如何补充营养。她开始了一项积极的营养补充计划，并且预约了她的化学治疗。虽然金佰利的医生强烈建议她休学，但是她并不想这么做。她是一个希望能做到最好的学生，所以她预约在圣芭芭拉进行化学治疗，这样如果可能的话，她就能继续上课。

这个年轻的交流系的学生在整个治疗过程中的表现都非常出色。她坚持完成了全部课程。金佰利的肿瘤专家和外科手术大夫都称赞她不仅看上去气色很好，而且对她的治疗耐受力那么高。她的头发的确脱落了，不过她并没有拉下多少课时。在对她进行最后一次治疗时，那位肿瘤专家走到金佰利的身边，直截了当地问她："你吃了什么？"

她抬起头，回答说："你这话是什么意思啊？"

他说："我知道你肯定吃了什么东西，因为我所有其他的病人都在那里呕吐着呢，但是你却坐在这里看《时代》杂志。"

当她告诉他自己一直在吃着营养补充时，他震惊了。她不仅忍受了这些治疗，而且对它们的反应还那么的良好。

金佰利继续过上了快乐的日子。从她结束化学治疗到现在已经有3年多了。她又长出了美丽的秀发，而且正在享受着她的生活。她的 CA 125 血液读数一直保持正常，而她现在每年只需要回去复查两次了。金佰利的癌症没有复发的迹象。

[为什么它们会有效]

肿瘤专家和放射科专家通常都不主张病人在接受癌症治疗时使用抗氧化物质。为什么？因为医生们担心抗氧化物质会为癌细胞建立起抗氧化防御系统而导致他们的治疗无效，因为他们的治疗原理主要就是通过产生氧化压力来破坏癌细胞。这是一个合理的担心。但是医学杂志并不支持他们的看法。

吉达·普拉塞得（Kedar Prasad）医生和阿朗·库默（Arun Kumar）医生以及他们在科罗拉多州立大学医学院放射系的同事们研究了不下70个实验结果来解决这一顾虑。他们的研究报告标题为《高剂量多种类的抗氧化维生素：提高标准癌症治疗手段疗效的必需成分》，这篇报告发表在《美国营养学院杂志》上。普拉塞得和库默医生在文中写到，个别分散实验显示在某些化学疗法治疗过程中单纯补充一种营养物质会起到负面作用。但是在同时采用高剂量多种抗氧化物质时，疗效却得到了提高。为什么会这样呢？

抗氧化物质能够帮助消灭癌细胞

临床实验结果显示，癌细胞对抗氧化物质的吸收方式与正常细胞不同。正常情况下，健康的细胞只会适量吸收它们所需要的抗氧化物质和辅助营养。这是细胞营养非常重要的一条客观规律。

另一方面，癌细胞会持续不断地吸收抗氧化物质和辅助营养。这种超量吸收抗氧化物质的行为实际上会导致癌细胞更快死亡。抗氧化物质不仅能够帮助消灭癌变细胞，而且可以保护健康细胞少受放射疗法和化学疗法的伤害。

抗氧化物质能够帮助好的细胞

作为常识，我们都知道化学疗法和放射疗法对健康细胞带来的有害副作用是由于这些疗法增加了体内的氧化压力。但是并不是很多人知道，当病人服用高剂量抗氧化物质时，正常细胞的防御系统会得到改善，因为这些细胞可以正常地使用这些抗氧化物质。这实际上是一个双赢的局面。化学和放射疗法能够最大程度地发挥作用，而同时它们对健康细胞可能造成的副作用和伤害会明显减少。

维生素E可以预防各种化疗药物对肺、肝、肾、心脏和皮肤造成的伤害。CoQ10已被证实能预防阿霉素对心脏造成的长期伤害。β 胡萝卜素和维生素A可以减少病人对放射疗法和一些化疗药物产生的反作用。所有这些抗氧化物质都已被证明能保护正常细胞的DNA不受这些癌症疗法的破坏。

[米歇尔的故事]

　　米歇尔原来是一个美丽活泼的4岁大的女孩子。她的世界充满了爱和笑声。她的家庭就像一个避风港,看上去没有什么事情能够威胁到她。但是米歇尔自由的生活被打断了。医生们发现她的背部和腹部的疼痛发展为一种名为成神经细胞瘤的转移性癌症。整个家庭陷入了黑暗。

　　确诊后不久,医生们就为米歇尔做了一次探查性的手术。当外科大夫从手术室出来的时候,全家人都能从他的脸上看出情况不容乐观。他告诉他们米歇尔的肿瘤已经扩散了,一直分布到横膈膜上,而且包裹在肠子和一条腹部大静脉的外面。他没有办法摘除这个肿瘤。

　　米歇尔的探查性手术的伤口还没愈合,她的肿瘤专家小组就开始对她进行积极的化学治疗了,但是米歇尔长期存活的可能性还是很小。就在这时,米歇尔的妈妈来咨询我了。她希望能尽一切努力保护她的女儿,减轻这些大夫们推荐的治疗方法的副作用。

　　虽然米歇尔的医生一直反对,但是我们还是对米歇尔开展了一套治疗性的营养补充计划。米歇尔是一个勇敢的孩子,并且坚持服用这些营养药物。她的癌症治疗开始了,而她也顽强地挺了过来。虽然她吃了这些营养补充,但是的确还是感到非常不舒服。由于治疗强度格外地高,所以我们一直很担心她活不下去。但是勇敢的小米歇尔的确做到了,而且她的肿瘤也明显地收缩了。

　　米歇尔的反应大大地鼓舞了她的医生们,他们希望能够再为她做一次手术,看看能不能摘除这个肿瘤。当外科大夫再次从手术室出来的时候,他的脸上带着笑容。他认为他们能够把肿瘤完全摘除。而肿瘤专家也告知米歇尔的父母,她对化疗的反应真是好得不能再好了。

　　但是米歇尔的故事还没结束。医生们还是希望她能做一次骨髓移植,以确保消除癌症扩散的可能性。这个家庭再一次面临着一个艰难的决定。他们仔细地研究了所有能够收集到的信息,然后在这些信息的基础上,米歇尔的父亲告诉肿瘤专家他们同意进行骨髓移植。但是,医生们要这么做的话必须有一个条件：米歇尔的父母坚持认为她在骨髓移植的过程中必须服用营养补充。

刚开始的时候肿瘤专家拒绝了。她认定营养补充会妨碍治疗的疗效。当米歇尔的父亲问这位肿瘤专家有没有任何医学杂志上公布过的研究结果可以支持她的顾虑时，肿瘤专家回答说："没有，不过这是一种理论上的顾虑。"

米歇尔的父亲也是一名急诊医生，他告诉这位肿瘤专家米歇尔在之前的整个治疗过程中都在服用营养补充。她不仅熬过了这些治疗，而且没有任何异常的不良反应。米歇尔的父亲表明了他和他妻子的态度，坚持必须让她在骨髓移植的过程中也要服用营养补充。

这位肿瘤专家同意让肿瘤药理学专家来判断米歇尔服用的营养补充是否会与即将服用的治疗药物发生冲突。在药理学专家做了进一步的研究之后，终于所有人都同意米歇尔在骨髓移植过程中可以服用营养补充了。治疗的过程非常痛苦，但是她还是挺了过来，而且的确康复了。事实上这位肿瘤专家告诉她父母，说她从未看到过做这种手术的孩子能够恢复得那么快。他们艰难的努力终于得到了回报。

米歇尔和她的妈妈在祈祷中度过了这段艰难的岁月，当她5岁的时候，她已经可以跟伙伴们一起去幼儿园了。米歇尔的身体已经强壮得足以应付第一天的幼儿园生活。从她最初被确诊得了癌症到现在已经有3年了。米歇尔在她7岁的时候正在忙着骑自行车、跳绳和与她的小伙伴们一起玩耍。

※　　※　　※　　※　　※

营养学为我们抗击癌症和一些其他退行性疾病带来了巨大的希望。它们不仅能够帮助我们预防癌症，而且实际上可以增强传统化学和放射疗法的疗效。增强身体天然的防御系统有什么错呢？由于癌症治疗会给病人的生活带来难以忍受的巨大压力，难道医生们不希望他们的病人尽可能的健康吗？

我们有许多理由认为天然的抗氧化物质和他们的辅助营养是最理想的化学预防药物。它们能够：

· 可以限制甚至防止自由基对细胞的DNA核造成破坏。

· 能为身体修复任何已经形成的破坏提供正确的营养。

· 安全而且可以终身服用。（药物没有这个优点。例如能减少乳腺癌发病的它莫西芬就被证明有非常严重的副作用。）

· 相对比较便宜。（我建议的预防用量的营养补充每天只需1到1.5美元。）

· 能最好地预防癌症的进一步恶化。

· 能保护身体不受化学疗法和放射疗法带来的伤害。

· 能增强化学疗法和放射疗法的疗效。

· 已被证明在某些情况下可以导致肿瘤收缩。

我们不能否认，传统癌症疗法的疗效已经开始停滞不前。肿瘤专家和放射疗法专家们必须采取更开明的态度，让他们的病人服用抗氧化物质。如果研究者们更认真地研究如何以最佳用量综合使用抗氧化物质，那么癌症的预防和治疗就可能会得到革命性的突破。目前已有的研究结果均支持在化学预防和癌症治疗的各个阶段使用抗氧化物质。

第9章　氧化压力与你的眼睛

没有什么能让梅维斯停下来。在丧夫一年之后，她已经变得那么的坚强和独立。她喜欢自己去旅行和探险，没有一丝犹疑。梅维斯知道生命的意义是什么。

是的，没有什么能让梅维斯·爱丽斯曼（Mavis Ehresman）停下来……除了正在降临的对失明的恐惧。早在1983年的时候，梅维斯喜欢看着雷电撕裂夜空，她能看出无尽的草原上那些最细微的变化，但是就在这时，她发现自己在看东西的时候开始出现问题了。由于她的视力没有好转，她认为应该去城里找当地的眼科大夫看一下了。

那天，眼科大夫诊断出她得了视网膜黄斑变性。当她跟跄着走回自己的车上的时候，身边所有的东西移动的速度都减慢了两倍。

虽然梅维斯对这种病并不了解，但是她知道自己必须利用好仅存的视力 ——而时间正在流逝。她开始抓紧时间努力地阅读一切关于她这种疾病的资料。假如真的有治疗办法的话，梅维斯早就找到了。

但是她并没有读到好的消息。这些书告诉她医生们除了看着她的视力继续恶化以外没有任何可做的事情。而实际上这正是后面出现的情况。

在接下来的 14 年中，梅维斯的视力一直持续恶化。开始，她不得不放弃了夜间驾驶。然后她发现在冬天开车也是不可能的了，因为灰色的天空会与路面混合在一起无法分辨。而南达科他州的冬天是很长的。

那辆旧雪佛兰车现在只能一直停在车道上了。但是那种曾经支持着梅维斯驾车穿越暴风雪的坚忍不拔的决心同样支持着她去寻找解决的办法。1997年4月的一天，我的电话铃响了，听筒里响起了梅维斯的声音。她打对电话了。在告诉这位南达科他州妇女一些我将在本章中介绍的关于视网膜黄斑变性的知识后，我给她建议了营养补充的剂量。梅维斯开始服用一种有效的抗氧化物质和矿物质药片，并且开始大量服用葡萄籽精华素。

几个月后，梅维斯的视力开始有所改善。她的视力开始变得清晰，甚至她的夜视能力也有所提高。当她再次去找那个本地的眼科大夫时，他确认了这个好消息，梅维斯激动得直发抖。实际上她那天的视力已经恢复到与1991年时相同的水平——那可是6年前的事情了！

那辆旧车已经不再停在车道上了。梅维斯有太多的地方要去，太多的东西要看。冬天和夜间驾驶还是一个问题，但是原来那种担心会失去视力的恐惧已经不会再让梅维斯停下来了。这位知道应该如何生活的坚强不屈的女人又能重新怀着敬畏仰望博大的夜空和无尽的草原，直到2001年秋天上帝让她回到了天堂。

[我们的眼睛的问题]

由于氧化压力导致的眼部退行性变化使我们对使用抗氧化维生素和矿物质来预防甚至治疗与老化有关的眼部疾病产生了浓厚的兴趣。目前我们有不下六项仍在进行的、大型的多中心临床实验正在仔细研究如何针对下列疾病使用各种营养补充。

白内障

白内障手术是多数60岁以上的病人最常经历的外科手术。它对美国医疗系统产生的经济效益是巨大的。在美国，眼外科每年都要进行130万例白内障手术，收费加起来超过35亿美元。据估计，如果美国人均患白内障的年龄推迟10年，那么就会有一半的人口完全不需要这种手术。

眼睛通过晶状体收集光线并聚集在视网膜上。晶状体要良好地工作，就必须终生保持清晰透明。随着我们年龄的增长，晶状体的各个组件会受到破坏，并有可能出现不透明的情况，这就导致了老化性的白内障。

医学研究者们相信，如果在早期为眼睛提供充足的抗氧化营养成分，就可以维护晶状体的功能，防止白内障的形成。基础研究结果支持了这种理论，那就是在这里自由基再一次成为罪魁祸首；它们是由阳光紫外线伤害所造成的，并且因此形成了白内障。

我们身体生成的天然的抗氧化物质（谷光甘肽过氧化酶、过氧化氢酶和超氧化岐化酶）形成了眼部基本的防御系统。但是研究者们意识到这种天然的抗氧化防御系统不足以为眼部提供全面的保护。事实上已经有一些临床实验显示，我们可以通过增加饮食中的抗氧化物质和服用营养药物来保护晶状体不受氧化破坏。

存在于眼球晶状体内的流质中的抗氧化物质对于保护晶状体本身至关重要。因此，如果晶状体内的流质中的抗氧化物质水平很低，那么白内障发展的速度就会加快许多。这种流质中最重要的抗氧化物质是维生素C。维生素C是水溶性的，在晶状体的附近聚合浓度很高。这种流质中还含有其他抗氧化物质，如维生素E、硫辛酸和β胡萝卜素。

一些流行病研究已经揭示了维生素C、维生素E和β胡萝卜素的水平与患白内障可能性之间的关系。在芬兰，一项对照实验显示体内含维生素E和β胡萝卜素水平较低的人需要进行白内障手术的可能性会增加4到5倍。另一项实验显示补充维生素的人得白内障的可能性会降低50%。

现有医学证据显示，年轻人晶状体中的天然抗氧化保护系统会随着年龄的增加而明显减弱。许多不同的临床实验证明如果服用各种抗氧化物质，可以保护逐渐老化的眼睛。研究者们发现眼球中的房水含维生素C的水平越高，就越能防止白内障的形成。硫辛酸由于其协合作用，也能帮助所有这些抗氧化物质保护眼睛的晶状体。最近的医学研究还显示硫辛酸和维生素C均能重新合成细胞内的谷光甘肽以便重复使用。

我只希望在未来的数年里，所有的医生们都能推荐他们的病人采用抗氧化物质作为预防白内障的手段。随着临床实验结果的公布，我们会了解具体该用哪些抗氧化物质，以及究竟该用多大的剂量。但是我相信我们现在已经有了充足的证据来证明我们应该鼓励病人把服用抗氧化物质作为一种相对比较便宜的预防白内障形成的手段。

视网膜黄斑变性

在美国，老年性视网膜黄斑变性（ARMD）是导致60岁以上的老人失明的主要原因。对于那些对这种病并不熟悉的人来说，它就是视网膜的一个关键部位，视网膜中区的衰退。视网膜中区是感光细胞分布最集中的地方，主要负责中央视力。眼球的这一区域开始衰退时，我们实际上就丧失了我们最重要的一种视觉能力——中央视力。当ARMD患者正视你的时候，他会无法看清你的脸，但是却可以看到你旁边的事物。也就是说他的外围视力是完整的。

视网膜黄斑变性有两种情况：湿性的和干性的。90%以上的病例都属于干性，也就是说中央视力会逐渐降低，其中大概有10%的可能性会转变为湿性病例。目前干性视网膜黄斑变性还没有任何可行的治疗手段。

湿性视网膜黄斑变性患者的中央视力降低得更快，会增生新的血管并且可能出现血管渗漏。湿性视网膜黄斑变性可以采用激光凝固法治疗。这种治疗手段的目的是减缓新血管的形成，防止因此导致的视网膜膨胀（水肿）和渗漏或出血，并且可以阻止因为这种渗漏导致的出血。

视网膜损伤的原理

近年来，一些研究者们就老年性视网膜黄斑变性（ARMD）的真正原因提出了有趣的设想。这些理论认为正是由于光线进入眼球并被聚焦在视网膜的黄斑上才导致了这些感光细胞外的自由基数量明显增加。而且，如果没有足够的抗氧化物质来中和这些自由基，那么自由基就会对感光细胞产生破坏。这些氧化压力已被证明能破坏密集于视网膜和感光细胞外部的多不饱和脂肪（PUFA）。

与 LDL 胆固醇的氧化破坏原理相似，PUFA 的氧化和破坏可以导致脂褐质的形成，这是一些由油脂和蛋白质构成的物质，聚集在视网膜色素上皮细胞里。脂褐质会对视网膜造成进一步的破坏，而且研究者们相信它实际上就是伤害和破坏这些敏感的感光细胞的根本原因。

这些有毒物质会在色素上皮细胞中沉积并且最后形成玻璃膜小疣。对眼科医生来说，玻璃膜小疣是病人得 ARMD 的最初征兆。由于这些玻璃膜小疣堆积在色素上皮细胞和细胞的血液供应之间，它们会切断营养供应导致感光细胞无法工作，从而造成局部的失明。

感光细胞受到破坏

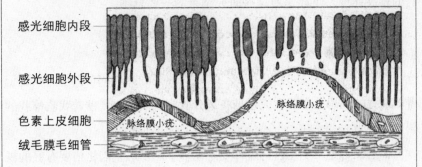

感光细胞内段
感光细胞外段
色素上皮细胞
绒毛膜毛细管
脉络膜小疣
脉络膜小疣

玻璃膜小疣的形成切断了眼球感光细胞的血液供应，导致局部失明。

但是，病人手术后往往更快会失明。

据美国眼盲防止学会（Prevent Blindness America）估计，1400万美国人都患有ARMD。比佛·达姆眼科实验（The Beaver Dam Eye Study）指出在美国75岁以上的人口中有30%都患有ARMD，而其余的人中有23%会在5年内患上ARMD。

[视网膜自由基的生成]

正如我已说过的，当视网膜色素细胞和感光细胞吸收光线时，自由基就会在这个过程中产生。高能量的紫外线光线和可视蓝光特别容易使眼球的视网膜内产生自由基。正如你所想象到的，长时间暴露在这种高能量的光线中的病人患ARMD的可能性显著提高。研究结果显示，当我们慢慢变老时，能保护我们不受这些高能光波所产生的自由基伤害的抗氧化防御系统会显著弱化。这就明显打破了我们身体产生的抗氧化物质和自由基之间的平衡，并且加速了自由基对眼球视网膜的破坏。

一些实验结果显示，与视力正常的人相比，视网膜黄斑变性的病人体内往往缺少锌、硒、维生素C、类胡萝卜素和维生素E。一些临床实验也检查了每种营养物质的疗效以观察它们是否能减轻ARMD或减缓它的发展速度。下面是对这些研究结果的一些总结。

类胡萝卜素

"快点，雷，把你的胡萝卜吃了。它们对你的眼睛有好处。"我还记得以前我的妈妈总在我吃完饭准备离开餐桌去玩的时候催着我吃掉我的胡萝卜泥。

你的父母是不是也告诉过你要吃胡萝卜呢？医生们相信要有好的视力和夜视能力就离不开胡萝卜中的β胡萝卜素。这在一定程度上是对的，但是β胡萝卜素只是我们体内数十种重要的类胡萝卜素中的一种。

实际上更重要的是要多吃谷物、绿叶蔬菜和羽衣甘蓝类的蔬菜，因为它们含有丰富的名为叶黄素和玉米黄质的类胡萝卜素。

由于叶黄素和玉米黄质是黄色的，所以它们能够有效地吸收可视光线中的蓝色部分。蓝光是能破坏眼球晶状体和视网膜的一种主要的高能光线。当晶状体和黄斑中含有这两种营养成分时，我们眼球吸收的蓝光和因此产生的氧化压力就会被降到最低。它们实际上就像是眼球内的太阳眼镜。它们可以屏蔽掉有害的高能光线，减少感光细胞产生的自由基数量。这些营养成分同时也是非常有效的抗氧化物质，能够帮助我们中和掉眼球这些部位出现的自由基。

研究结果表明叶黄素可以保护眼睛

补充叶黄素和玉米黄质的病人不仅血液中这些营养成分的含量提高，而且眼球中的含量也会明显提高。这些研究显示，能保护视网膜不受伤害的黄斑色素细胞增加了 20~40%，而被传输到黄斑感光细胞和黄斑色素细胞的蓝光也被减少了将近 40%。

1994 年 11 月 9 日，《美国医学会杂志》报道称，在饮食中高剂量摄取了这两种营养物质，叶黄素和玉米黄质的病人比那些摄取量最低的病人得 ARMD 的可能性降低了 43%。有趣的是，高剂量摄取了 β 胡萝卜素的病人却没有取得同样的疗效。只有叶黄素和玉米黄质是可以被存储在眼球黄斑中的类胡萝卜素。虽然我们食用胡萝卜泥中的 β 胡萝卜素有益健康，但是它却不能降低 ARMD 的发病率。也许妈妈说"把你的胡萝卜吃了"的真正的意思是说应该多吃类胡萝卜素。

维生素 C

体内维生素 C 含量较低的人患 ARMD 的可能性会增高。维生素 C 高度集中在眼球的液体（眼球水状体）中，对视网膜来说是一种非常重要的抗氧化物质。研究结果显示，补充维生素C可以减缓 ARMD 的发展。维生素C还能够重新生成维生素E和非常有效的细胞内的抗氧化物质，谷光甘肽。

维生素E

ARMD 病人眼球黄斑区域的维生素E含量较低，高能光线能在这里产生大量自由基破坏感光细胞。虽然维生素E不是眼球中最重要的抗氧化物质，但是它仍然扮演着一个很重要的角色。当病人补充维生素E时，也可以预防 ARMD 的出现。

辅酶 Q10

通过第7章中关于心脏疾病的研究，你现在对 CoQ10 应该已经很熟悉了。CoQ10 是一种强效的脂溶性抗氧化物质。我们发现这种营养物质对身体各部位的脂肪细胞来说都是一种非常有力的保护。眼球的视网膜大部分都是由脂肪细胞构成的，因此也不例外。ARMD 病人体内都明显缺少 CoQ10。体内 CoQ10 含量正常的病人抵抗大量自由基造成的氧化压力的能力明显较高。在 ARMD 研究中采用 CoQ10 还是一种新的尝试，而且人们也很看好它的疗效。

谷光甘肽

谷光甘肽是我们体内每个细胞中都能找到的非常有效的抗氧化物质。它在眼球晶状体以及视网膜的色素细胞和感光细胞中尤为重要。临床实验显示，我们体内的谷光甘肽水平会随着年龄的增长而降低。这个事实意味着随着年龄的增长，我们患眼病的可能性也会增加。我们已经进行了一些实验来增加眼球晶状体和视网膜中这种重要的抗氧化物质的含量。

研究者们都知道我们身体通过口服手段吸收谷光甘肽的能力很弱；通过这种方式提高细胞内的谷光甘肽含量几乎是不可能的。增加细胞内谷光甘肽含量最好的办法是为身体提供制造自己的谷光甘肽所需要的营养成分。还记得吗，谷光甘肽超氧化酶是我们身体自己产生的天然的抗氧化防御系统之一。身体制造这种最有效的天然的保护系统所需的营养成分有硒、维生素 B₆、N- 乙酰 -L- 半胱氨酸和烟酸。

当你对细胞营养有了更深的了解之后，你就会开始意识到为细胞提供所有这些基础营养的重要性了。在这种情况下硫辛酸和维生素 C 也是非常重要的，因为它们都能够重新生成谷光甘肽。由于提高细胞内的谷光甘肽的含量很困难，所以我们也应该补充这些营养物质，以便细胞内的谷光甘肽能够不断重复利用。

研究者们已经证实，只要感光细胞和视网膜色素细胞中含有最佳含量的抗氧化物质，这些抗氧化物质就能更好地保护细胞不受氧化压力伤害。当眼球晶状体中谷光甘肽含量较高时，晶状体也不容易受到氧化压力伤害。

锌和硒

锌和硒是我们身体抗氧化系统需要的两种重要的矿物质。锌对我们的过氧化氢酶防御系统至关重要，而谷光甘肽超氧化酶系统非常需要硒。这两套抗氧化防御系统对于消灭眼球中产生的自由基都是非常重要的。如果我们体内这两种矿物质的含量不足，那么这两套系统就不能发挥最好的功能。一些实验结果显示，当病人补充这些矿物质，尤其是锌时，ARMD 会受到控制和改善。

[菲儿的故事]

我有一个长期的病人陪她的丈夫来做身体检查。检查过程中，菲儿告诉我她最近被诊断出得了视网膜黄斑变性。

在去德克萨斯州探望家人的时候，她注意到自己什么东西都看不清了。她不断地擦眼镜片，但是戴回去以后却发现自己还是看不清楚。她当时觉得她该去看看医生，换一下眼镜片的度数。可是当她回到家去找当地的眼科大夫时，大夫却没发现她的眼镜有什么问题。

但是菲儿的视力更加恶化了。她去教堂的时候都看不清唱诗班的人。她开始担心起来，所以预约了当地一位视网膜疾病专家。他给她做了检查，并且立即确认她得了视网膜黄斑变性。菲儿的左眼已经失去了大部分的视力，医生告诉她，她得的是湿性视网膜黄斑变性。如果她想做激光手术的话，他会帮她安排一下。

我给菲儿解释了一下我已经完成的关于视网膜黄斑变性的研究，以及我的一些病人已经通过服用营养补充来提高了他们的视力。显然，她也想尝试一下，所以我给她设计了一套将在第17章中介绍的营养补充计划。

不到两个月，菲儿就告诉我她的视力有了明显的改善，甚至已经接近正常了。她现在已经可以看清唱诗班每个人的脸了。

这个故事发生在5年前，而菲儿现在还在坚持服用营养补充。她的视力一直基本保持稳定。菲儿现在还是每隔几个月一次地与她的眼科专家预约复查，但是她已经不再需要做激光手术了。她的医生还夸她的眼睛很美。

[保护你的眼睛，预防白内障和老年性视网膜黄斑变性]

我已经与你分享了许多技术方面的信息。但是我这么做的目的只是为了让你掌握一些医学证据来下定决心采用营养补充和预防眼科疾病。这些建议同样适用于那些已经得了白内障或者视网膜黄斑变性并且希望能够减缓病情发展的病人。不过我猜你一定会在想，到底应该怎样去实施呢？

在临床实验中，我对视网膜黄斑变性病人都采用了比较积极的治疗方式，因为我想知道我们是否真的可以修复一些氧化压力已经造成的破坏。我本人参与治疗的病人中有数十位病人的眼科专家们都证明他们在采用了我的建议后视力得到了改善。

首先，保护眼睛最关键的是保护眼睛不受高能日光射线的伤害，它们是导致眼部氧化压力的根本原因。健康年轻人的眼球的角膜和晶状体可以吸收大多数的UV射线，保护视网膜。但是角膜和晶状体不能拦截或吸收高能的可视蓝光。随着年龄的增长，眼球晶状体会漏过越来越多的紫外线，不能再保护视网膜不受紫外线伤害。

要保护我们的眼睛，阳光就是我们的敌人。减少身体需要应付的氧化压力是非常重要的。购买一副能够过滤所有UV射线和可视蓝光的优质的太阳眼镜是非常值得的。这就意味着你不必去中和那么多的自由基了。

关于眼球的临床实验显示，当抗氧化防御系统负荷超重时，所有的防御都会被突破，氧化压力就会形成。我们都需要尽量保护眼睛和面部不受阳光直射。在户外工作的人和那些必须曝晒在阳光中从事体育和其他活动的人在户外都应该随时佩戴有保护功能的眼镜。

另一方面，我们应该重新建立身体天然的抗氧化防御系统。一些研究已经证明我们可以通过服用营养补充来做到这一点。在一次实验中，研究者们让192名视网膜黄斑变性病人服用抗氧化物质，另外61名对照病人没有服用。6个月后，服用了抗氧化物质的病人中有87.5%视力与实验开始时持平甚至更好。没有接受治疗的病人中只有59%视力与实验开始时持平或更好。

我也会在第17章中介绍需要服用哪些抗氧化物质。

※　　　※　　　※　　　※　　　※

两年前，城里的一位眼科专家在一家餐馆的停车场拦住了我。他问："你给那些视网膜黄斑变性病人推荐的都是些什么营养品啊？我今天早上刚看到我办公室里一个妇女的双眼视力都从20∶100提高到20∶40了。

我之前碰到的视网膜黄斑变性病人里从来没有出现过这种情况的。"

我给他大概地解释了一些本章中介绍的概念。

这位眼科专家打开他的车门去找他的太阳眼镜。他眨巴了一下眼睛笑了："随便你想帮多少个视网膜黄斑变性的病人，不过可别去帮那些白内障的病人。要治他们，我们还可以做手术。"

我知道他只是在开玩笑，而且我也很欣赏他对营养补充的巨大兴趣。由于毫无疑问氧化压力就是白内障和视网膜黄斑变性的根本原因，所以我相信我们必须采用更积极的营养补充方案。毕竟，的确没有其他能同时有效治疗 ARMD 和避免白内障手术的手段了。还有什么能比这种简单的办法效果更好吗？

第 10 章　自身免疫性疾病

　　马克是六个孩子中最小的一个，要追上哥哥姐姐们，他得非常努力才行。他是一个健康的小男孩，喜欢一切与球类和竞技有关的游戏。他喜欢好些体育活动，不过足球是他的最爱。

　　当马克 12 岁大的时候，有一天当他正在忙着踢球的时候，他的腹部开始绞痛起来。很快，他同时又出现了严重的胃痛。腹部的绞痛持续了几天而且伴随着腹泻和呕吐。他的父母给他吃了一些药店买的非处方药，但是却完全无效，他们只好带他去急诊室，大夫诊断他得了阑尾炎。在阑尾炎手术恢复之后，马克出院了。

　　他没在家里呆多久。24 个小时后他因为胃痛、血便和呕吐又被送回了医院。马克这时看起来比手术前更糟了。

　　这个小男孩又住院了；但是，当地的医生们已经束手无策了。他们让马克转院去洛玛·琳达大学医疗中心（Loma Linda University Medical Center）的小儿肠胃病专科；那里的大夫立即对他实行了重症护理。他们在第二天给他做了结肠镜检查并且从他的小肠和结肠取了一些标本做活组织切片检查。

　　在这个检查过程中，他的父母被他们从监视器上看到的结果惊呆了。后来他们告诉我当时马克的肠子看起来就像一条鹅卵石铺成的小道。洛玛·琳达医院的医生诊断马克得了一种名为克罗恩氏病的自身免疫性疾病，同时并发芽胞杆菌感染。

马克忍受着剧痛和不适，你能想象的到——这对一个孩子来说是多么艰难的时刻！他的医生立即给他开了200毫克的强的松和一些抗生素与镇痛剂。他们开了一整天的会来讨论是否应该进行外科手术摘除马克大部分的肠子。但是他们还是决定再观察一段时间看看马克的病情发展如何。

马克慢慢好转了，结肠镜复查显示感染已经消除了。这使得克罗恩氏病典型的表面溃烂症状更加明显。医生们把他父母请来，告诉他们这是一种没有办法可以治疗的自身免疫性疾病。他们说不知道为什么，马克的免疫系统已经开始攻击他自己的肠子了，因此产生了严重的炎症和破坏。医疗小组建议让马克服用一种名为依木兰的化疗药物，而且他还要坚持服用高剂量的强的松和镇痛剂。马克开始服用依木兰，住院治疗六个星期以后，他终于可以出院了。

然而他在家里还是没有呆多久，还不到一个星期的时间，马克又因为严重的胃痛被送回医院了。

医生们基本上是通过使用药物抑制免疫系统来控制这些自身免疫性疾病。由于是身体自身的免疫系统在造成破坏，所以主动压制免疫系统的功能从逻辑上来讲是对的。但是这些药物的一些重要的副作用是它们也会摧毁天然的抗氧化防御系统。马克的病最终得到了控制，但是免疫系统缺损使他无法抵御各种感染。稍微着凉就会导致肺炎，普通的流感也会让他病上几个星期。实际上从第一次在球场上发病以后的头一年内，马克就因为严重的感染而七次住院。我大约就是在这个时候开始治疗这个小男孩的。

我在圣地亚哥的一次会议上演讲之后，马克的父亲找到了我，问我对马克有什么建议。我告诉他应该让马克服用一种强效的含有抗氧化物质和矿物质的药片，同时服用高剂量的葡萄籽精华素和CoQ10。我还建议他们在他的饮食中补充足够的必须脂肪酸，或者补充亚麻籽油或鱼油。所有这些物质都可以重新建立马克的天然抗氧化防御系统。

马克的状况开始慢慢改善，但还是忍受着胃痛和药物的副作用。他的医生慢慢地减少他的强的松用量，但是没有减少依木兰的用量。马克的父母又来咨询我了，我建议他们从一位私人儿科肠胃专家那里寻找别的解决办法。

在发现马克除了依木兰的副作用以外其他情况都很良好之后，这位私人肠胃病专家感觉应该让马克试着停用所有的药物，包括镇痛剂和依木兰。马克的依木兰剂量开始慢慢减少了，同时一位心理学专家教会了马克一些放松的技巧，他终于也可以停用所有镇痛药了。最后，马克终于不用再吃药了，而且他自我感觉比刚发病之前更好了。

马克现在非常健康，饮食也很正常。我最近又很高兴地看到了这个活泼的已经 15 岁的孩子。他和他的父母经历了多么可怕的威胁和痛苦啊。马克熬过了一种多数人都无计可施的疾病。他现在已经全无痛苦了，他的克罗恩氏病已经快 3 年没有发作了。不用说，我们都对马克的未来很乐观。

但是问题是：为什么马克的免疫系统会这样去攻击他自己呢？难道我们的免疫系统不应该是帮助我们的吗？让我们先来看看我们的免疫系统应该是如何工作的吧。

[免疫系统：我们坚强的守护者]

我们的免疫系统可以保护我们不受病毒、细菌、霉菌、异种蛋白和不正常的癌细胞的侵害。这是一套复杂的由许多不同种类的免疫细胞组成并且互相配合的系统。由于本书篇幅有限，我不可能太详细地介绍免疫系统错综复杂的工作方式，不过我还是觉得应该让你知道其中一些最重要的成员。下面我要简单介绍一下它们的分工。

我们免疫系统的各个成员

巨噬细胞（或称噬菌细胞）是一些站在防线最前沿的白细胞。它们可以迅速地攻击任何外来入侵者（病毒、细菌等）并把它们吞噬掉。但是在某些情况下，巨噬细胞不是很确定它们碰到的到底是不是外来入侵者。它们当然不想摧毁那些属于身体自身的东西（就像马克碰到的情况一样）。这时它们会召集T帮助型细胞来帮忙。

T帮助型细胞来自一些名为淋巴细胞的白细胞。T帮助型细胞来了以后会附着在巨噬细胞上面帮助巨噬细胞判断它捕获的是敌人还是朋友。如果T帮助型细胞认定这是一个敌人，它就会分泌出一种名为细胞分裂素的荷尔蒙（它们会加剧炎症反应），向免疫系统发出信号进行高度戒备。这时B细胞被激活并召集更多的巨噬细胞和T帮助型细胞前来救援。

B细胞能够通过一些酶来对入侵者产生氧化压力，从而消灭入侵者。一些B细胞会回到淋巴结生成能够抵抗这些入侵者的抗原。如果入侵者再次出现的话，由于有了这些抗原，我们的免疫系统就已经做好了战斗准备。

自然杀手细胞可以摧毁任何挡在它们前进道路上的物体。它们冲击被感染的细胞，用有毒和带有破坏性的酶来有效地摧毁所有外来入侵者或生长异常的细胞，例如癌细胞。

T抑制细胞则是在外来入侵者被摧毁以后出现的防暴警察，它们试图平复强大的免疫系统。它们对控制连带出现的身体伤害起着非常重要的作用。如果不控制过激的免疫反应，周围的正常组织就会受到严重的破坏。这也正是为什么我们会说炎症反应是危险的。虽然我们绝对需要它来控制可能带来感染的入侵者，但是如果炎症反应失控的话，它也会给身体造成巨大的伤害。

你已经知道营养补充可以明显增强人体的天然抗氧化防御系统。在本章中你还会发现这些营养补充还能明显地增强人体自身的免疫系统。卡尔汗兹·舒密特（Karlheinz Schmidt）医生说道："主体防御系统能否发挥最佳功能取决于能否提供正确数量的抗氧化微量营养素成分。"这是众所周知的，要想使我们的免疫系统实现上帝赋予它的保护人体的功能，我们就应该充足地补充所有这些营养成分。

[营养和我们的免疫系统]

我们再来研究一下医学杂志的记载，看看这些营养成分对我们的免疫反应都有什么样的影响吧。

维生素E

巨噬细胞在缺乏维生素E时会释放出更多的自由基，而且自身存活时间也不长久。我们的免疫系统实际上是通过制造这种自由基形成氧化压力来破坏外来的入侵者。只要保持在受控的状态下，这其实是氧化压力的好的一面。缺乏维生素E还会导致胸腺中T细胞的区分；这会导致T帮助型细胞和T抑制型细胞的失衡。T抑制型细胞生成数量的减少是炎症反应失控的主要原因之一。T抑制型细胞是关键的减少免疫反应从而限制连带破坏的防暴警察。一些研究者们相信T帮助型细胞功能不良是自身免疫性疾病的根本原因。

实验结果证明，补充维生素E可以修复免疫系统缺陷，帮助消除感染。临床实验还显示补充维生素E对中老年人和那些有吸收不良综合征的病人的免疫系统帮助更大。例如，马克的病出现在小肠和结肠中，因此实际导致了这些营养成分吸收不良。补充维生素E还能减少氢化可的松的抑制免疫的作用，而人体在应激反应时会大量释放氢化可的松。

类胡萝卜素

类胡萝卜素一个已知的特性就是能够保护附近的正常组织不受免疫系统炎症反应的破坏。正如你已了解到的，补充类胡萝卜素可以增加T帮助型细胞和自然杀手细胞的数量和功能，因此对我们抵御癌细胞起着重要的作用。它可以大大提高我们免疫系统的肿瘤监控能力。

维生素C

莱纳斯·鲍林（Linus Pauling）医生对我们的影响很大，使我们都意识到补充维生素C的重要性和它增强免疫系统的能力。虽然我们还在争论服用大剂量的维生素C能否治疗普通的感冒，但是对它增强免疫系统的作用已经基本没有疑义了。维生素C已被证明能够加强巨噬细胞的功能。这大大加强了我们抵御细菌感染的一线防御系统。

如果你只是感觉自己快感染什么疾病的话，每天服用适当剂量而不是大剂量的维生素C会比较明智。有一个实验结果显示坚持每天服用1克维生素C两个月后，免疫系统的许多方面都会得到相当大的提高。维生素C还能重新生成维生素E去对付血液中过多的自由基。这些特性都进一步提高了维生素C对免疫系统的增强能力。

谷光甘肽

补充制造谷光甘肽所需的营养成分（N-乙酰-L半胱氨酸、硒、烟酸和维生素B_2）已被证明能够明显增强整体免疫系统。即使对艾滋病感染者也有帮助。

辅酶Q10

随着年龄的增长，我们体内的CoQ10含量也会下降，从而导致线粒体（细胞的能量来源）特别容易受到氧化压力的破坏。因为CoQ10在免疫细胞能源生成的过程中扮演着重要的角色，所以它对免疫系统能否正常工作关系重大。补充CoQ10已被证明能够修复这些问题从而显著增强免疫系统。

锌

我们的免疫系统几乎每个方面都需要锌。事实上锌的缺乏会抑制一部分的免疫功能：淋巴细胞减少，许多白细胞功能降低，作为免疫系统重要刺激物的胸腺荷尔蒙也会降低。

许多人只要得了感冒就去找止咳糖。研究显示每两个小时服用一次止咳糖的确可以提前几天治好感冒。研究者们也相信锌不仅能够促进免疫系统而且可以抑制病毒的复制。但是有一点要注意的是：长期服用大量的锌实际上会抑制免疫系统的功能。我不反对短期大剂量使用锌或维生素C来治疗感冒；但是我相信从长期的角度考虑，服用最佳剂量的这些营养补充会对抗氧化防御系统和免疫系统更有帮助。

当我们免疫系统所有这些成员都能以最佳状态工作时，我们的整体健康水平就会显著提高。儿童在坚持服用营养补充后6个月内免疫系统就能达到最佳状态。但是随着年龄的增长，我们身体免疫系统的反应能力也会下降，因而会更频繁地出现严重的感染。事实上在成年人中，感染（尤其是呼吸道感染）是第四大死亡原因。

《英国针刺杂志》(British Lancet)最近报道了一项实验，研究者们对成年病人进行分组，其中一组提供最佳剂量的营养补充，对照组使用的是没有药效成分的安慰剂。服用了营养补充的一组与另一组相比较，总体免疫反应得到显著提高，而且出现感染的机会和程度都相对较低。取得这样的免疫系统功效至少要花一年的时间去补充营养，但是最后效果还是非常突出。这项实验与其他一些实验都证实了我们的免疫系统与抗氧化防御系统一样，在很大程度上都依赖于这些微量营养素。

[炎症反应]

你从这本书里已经知道，炎症反应是一个很危险的敌人。你已经知道心脏病实际上是一种炎症性疾病而不是胆固醇的问题。马克可怕的遭遇也是由于肠道的炎症。在第11章中你还会了解到上千万人由于关节的炎症加剧而患上关节炎。另外哮喘的根本原因也是由于炎症。

简单地说吧，我们大多数人体内的炎症过多了。我们必须使这些过量的炎症恢复平衡，而营养补充就是关键。

炎症反应是由一连串与免疫反应有关的事件所共同导致的，它会释放出大量的自由基、腐蚀性的酶和炎症细胞因子。我们已经知道了免疫反应的基本原理，但是我们还得知道如何去处理由这些细胞因子导致的持续时间较长的炎症（慢性炎症）反应。

补充抗氧化物质是我们最好的工具。它们能改善我们的免疫系统、帮助控制炎症反应，还能帮助我们建立起抗氧化防御系统，防止正常细胞受到炎症的破坏。不过关于炎症反应，我们还得研究另一个很重要的方面：我们自身天然的抗炎系统。是的。当你去找爱得卫（布洛芬第一代）药瓶的时候，你有没有想到过你的身体其实也能生成自己的抗炎产品？

让我们看看这些产品都是些什么吧。

必需脂肪酸

并不是所有的脂肪都是不好的。其实必需脂肪就是一个例子——它们是身体不可或缺的部分。我们的身体不能生成这些脂肪，因此必须通过食物来摄取。我们的身体利用这些脂肪来生成健康的细胞膜和一种称为前列腺素的荷尔蒙。其中，最重要的两种必需脂肪酸是被称为亚麻油酸的omega-3脂肪酸和别名亚油酸的omega-6脂肪酸。我们的身体把omega-3脂肪酸转变为主要起抗炎作用的前列腺素。Omega-6脂肪酸则转变为能引起炎症反应的前列腺素。

通过饮食摄取omega-6脂肪酸和omega-3脂肪酸的最佳比例是4：1。这就是说我们应该食用的omega-6应该是omega-3的4倍。

西方人的饮食中富含omega-6脂肪酸；它们主要存在于肉类、蛋奶制品和其他熟食中。我们通过亚麻籽、芥花、南瓜和大豆油等植物油获取omega-3脂肪酸。一些冷水鱼类中也含有这些脂肪酸，例如鲭鱼、鲑鱼、沙丁鱼和金枪鱼。因此你可以想象得到，美国人平均摄取的omega-6脂肪酸要比omega-3脂肪酸多——而且实际上是多很多。美国人的食谱中这两种脂肪酸的比例是20：1甚至是40：1！

　　这就导致了我们身体制造的发炎因子远比抗炎因子多出许多。我们的身体受炎症的影响太大了。摄取这两种必需脂肪酸的失衡是导致我们身体分泌的这些荷尔蒙失调的主要原因。因此，工业化国家的人们需要补充亚麻籽油或鱼油来使它们重新恢复平衡。

　　除此以外还有一个不为人知的事实：必需脂肪实际上能够降低胆固醇总量和LDL（不良的）胆固醇的水平。这就是说，并不是所有的脂肪都是一样的。我不仅建议我的病人补充omega-3脂肪酸，而且还应减少饱和脂肪的摄取。如果你能做到这两点，你身体内的炎症反应就会受到控制，而且胆固醇水平也会得到改善。

　　一些临床研究显示，通过补充这些重要的必需脂肪酸，病人们的风湿性关节炎、狼疮、心脏病、多发性硬化症和几乎所有与炎症有关的疾病都得到了改善。这是一种非常重要的保健方法，也是在你失去健康后希望重新获得的重要方法。

　　我们已经研究过了我们身体免疫系统的各个方面，以及它们应该是如何工作的。我们也知道了应该如何去消除正常的炎症反应。现在让我们来研究一下最坏的情况吧——为什么我们的免疫系统会叛变而实际上开始攻击我们自己的身体呢。

[自身免疫性疾病]

　　你也许听说过这样一句话："最大的优点也就是最大的缺点。"这话用在免疫系统上是再正确不过的了。许多临床医生相信每种疾病实际上都是由于我们免疫系统崩溃而导致的。但是自身免疫性疾病却是个令人费解的谜题，我们的免疫系统实际上是在攻击我们正常的细胞和组织，因此变成了最可怕的敌人。如果它攻击的是关节，那么我们就称之为风湿性关节炎；如果它攻击的是肠道，那么我们就称之为克罗恩氏病或者溃疡性肠炎；如果它攻击的是髓鞘，我们称之为多发性硬化症；当它攻击我们身体的结缔组织时，就是所谓的狼疮或硬皮病。

为什么会这样？这又是如何发生的呢？我在医学院的时候学到，自身免疫性疾病是由于免疫系统"过激"而开始攻击"自身"而不是"异物"。不过对我来说，自身免疫性疾病更合理的解释应该是免疫系统并没有过激，而只是迷惑了，所以才会攻击我们的身体，而不是按照原来设计的那样去攻击外来的入侵者。

《新英格兰医学杂志》最近发表了一篇关于自身免疫性疾病的研究文章，作者指出，没有人真正了解为什么免疫系统会转而针对"自身"。但是许多研究者都相信，氧化压力不仅是导致各种自身免疫性疾病的根本原因，而且也是导致我们的免疫系统对我们自身发动攻击的罪魁祸首。

一些研究已经指出了这么一个事实，那就是自身免疫性疾病的根本原因就是氧化压力。正如你能估计到的，风湿性关节炎、狼疮、多发性硬化症、克罗恩氏病和硬皮病患者体内的抗氧化物质含量都很低。抗氧化物质含量偏低也已被证明能增加风湿性关节炎和狼疮的发病率。这些病人的氧化压力临床指标都非常的高，尤其是在这些疾病急性发作的时候。

因此，对于这些自身免疫性疾病的患者来说，补充抗氧化物质是一个理想的选择。补充抗氧化物质不仅能够调节天然的抗氧化防御系统，而且可以增强我们的免疫系统并协助我们控制炎症反应。换句话来说，它们能使氧化压力受控，并且可以避免整个恶性循环。

[麦特的故事]

麦特是芝加哥地区一名非常成功的律师，这也就意味着他必须长时间地努力工作来建立他的业绩,但是与此同时他也要同样努力地来照顾妻子和家庭的需求。他的健康一直很好,所以他从不担心这个,直到1996年的秋天。

就在麦特出席一场婚礼时,他的腹部开始出现不适。婚礼前的两个星期他一直很忙,所以他估计自己是患上流感了。一两天后,用他自己的话来说,他感觉自己就像"被一辆军用卡车撞了",而且他还浑身疼痛,非常疲劳。

当这些症状开始恶化时,麦特决定去看病了。这时他的腹部正在一阵阵地剧痛。他实在是受不了了,要求医生无论如何要帮他止痛。他做了各种各样的检查,包括CT扫描、超声波、X光和无数血液检查。因此你能想象得到当麦特发现医生无法确诊他的毛病时会是多么震惊。他回家的时候只开了一些止痛片。

麦特当时已经读了一些关于营养补充的介绍,并且决心开始一项积极的补充计划。但是他的情况并没有得到多大的改善。他还是非常痛苦。他全身酸痛,而且极度疲劳。他最后去找了一位专家,这位专家让他做了一项名为ANA(抗核抗体)的血液检查。麦特的ANA检查结果呈阳性,而且指标是1∶640(正常应该是1∶40或更低)。这位专家告诉他,他得的是全身性红斑狼疮,多数人一般简称为狼疮。

ANA是检验自身免疫系统失常的一个指标。他的免疫系统实际上已经在攻击他自己的身体了。麦特听到这个诊断后,立即开始增加他的营养补充,开始每天服用350毫克葡萄籽精华素以及其他抗氧化物质和矿物质。他开始慢慢好转,而且也渐渐不需要再依赖止痛药了,不过虽然如此,他还是不时出现疼痛。麦特继续对抗着虚弱和与流感相似的症状,这个过程持续了很长时间。

到了一月份的时候,麦特已经感觉好多了,为了追回失去的时间,他又开始每天工作10个小时了。他心里很紧张,因为他已经将近4个月没有办法工作了。麦特甚至以为他再也不能为家庭提供经济支持了。

几个月后,当他回去复查的时候,他的专家想让他开始服用一些化疗药物，也就是一些狼疮的标准治疗药物。不用说，麦特坚持认为他感觉良好，已经没什么问题了。当这位专家再次检查他的ANA数据时，他简直目瞪口呆了。他完全无法相信这个事实。

"麦特，你的ANA指标掉下来了！"他叫了起来，"现在只有1：40了，已经基本正常了。"他对麦特表示祝贺而且说无论麦特是靠吃什么药来做到这一点的，他都鼓励他继续坚持吃下去。当麦特告诉他自己并没有吃什么药的时候，这位专家回答说："我不知道你都做了些什么，不过你都应该继续下去。"

麦特的健康还是保持得很好。他已经有5年多没犯病了，他的ANA检查也一直是阴性。实际上他说自己感觉比得狼疮前更好了。虽然他知道这并不是真的，但是麦特的确感觉自己已经完全没有得狼疮了。这些症状也许会重新出现，也许不会。没有人能保证。但是有一点是肯定的：那就是麦特再也不会不把健康当一回事了。

※　　※　　※　　※　　※

麦特的故事很重要的一点就是他在刚发病的早期就开始服用营养补充了。我已经介绍了许多临床病例，这些病人都在疾病发展得已经很重了以后还能恢复健康。但是我希望更多的人能在他们得病之前就通过饮食来补充营养，并且在刚开始发现自己得了某种严重的疾病的时候就能开始更积极地补充营养。这种补充营养的计划没有任何坏处——只有好处。（我将在第17章详细介绍应该如何开始补充营养。）

第11章 关节炎与骨质疏松症

那句老话是怎么说的来着？我们的生命中只有两件事情是靠得住的：死亡和交税。就在我写这一章的时候，我正头疼地发现交税的日子那么快又到了。不过我还想起了生命中第三件靠得住的事情——关节炎。的确如此：超过50岁的美国人几乎70-80%都在某种程度上患有一种名为骨关节炎的最常见的关节炎，别名退行性关节炎。

你可能也经常会有早上起来以后浑身僵硬、关节轻微肿胀和关节痛等症状。骨关节炎实际上是我最常碰到的慢性退行性疾病。无论男女，它都能影响到身体的各个关节，包括颈部和后腰。当关节炎恶化时，它还会导致明显的不适、疼痛，甚至残疾。

骨关节炎主要是关节软骨的退化。但是它也同样能影响到滑膜衬里细胞（关节内层）和下面的骨头。当关节软骨开始磨损时，骨头受到的压力就会增大。随着压力的增大，骨头实际上变得更加紧密。因此常见的现象就是关节附近出现骨刺。

你可能听家人或者朋友说过他要做骨关节移植了，因为他的"骨头挨着骨头"了。他的意思其实是说他关节里的软骨（垫子）已经完全磨损了。由于退行性关节炎主要出现在承重的关节（髋关节和膝关节），所以忧郁负荷超重、外伤或者其他行为导致的重复机械压力都会诱发和加重这种疾病。

[关节是怎么被破坏的？]

关节软骨覆盖在骨头的两端，而像膝盖这样的关节还有额外的软骨在两根骨头之间起着软垫的作用。软骨主要是由胶原质、醣蛋白和蛋白多糖构成的。人体软骨组织结构一直经历着合成和磨损的循环。换句话说，要维护关节健康，我们身体合成软骨的速度必须赶得上磨损的速度。在这里，平衡还是关键。如果关节出现磨损，那么我们就知道如果不是因为软骨磨损加剧就是因为软骨的合成速度减慢了。

众所周知，骨关节炎是一种炎症性疾病。如果你仔细观察患了关节炎的手，就会发现手指和手掌关节出现了炎症和肿胀。你有没有想过到底是什么导致了这种炎症以及它是如何破坏软骨的呢？这个问题的答案是多方面的，因为有多种原因会导致关节中的这种炎症，我在下面介绍一下。

关节炎症的原因

细胞因子是导致关节炎症的主要原因之一。这些蛋白能在细胞间传递信息，并且可以调节免疫和炎症反应。其中最重要的两种细胞因子是阿尔法肿瘤坏死因子（TNF—a）和白介素 1B（IL—1B）。这些因子高度集中在骨关节炎患者的关节附近。

蛋白酶是一些能破坏蛋白的酶，同时也能导致关节的炎症反应。蛋白酶是受细胞因子控制的。它们一部分具有抗炎特性，而另一部分则具有促炎（产生炎症）性质。很明显，关节炎的形成是由于促炎蛋白酶占了上风。

噬菌细胞（嗜中性粒细胞）被召集到发炎的关节来试图消除这种反应并且保护软骨和滑膜衬里细胞不受破坏。但是正如你在上一章已经学到的，这种炎症反应并不总是好现象。嗜中性粒细胞实际上会导致关节炎症加重。

缺血再灌注损伤现象听起来好像很复杂，但是其实却很简单。当我们使用负重关节，例如髋关节或膝盖时，由于行走特别是跑步时体重产生的压力会切断软骨的血液供应。这就是所谓的缺血，也就是血液供应不足。当我们减轻压在关节上的重量时，压力减轻血液又能回流到软骨中（这个过程称为再灌注）。这个过程与我刚才所讲的炎症来源都能导致大量自由基的产生。因此，这些自由基会给抗氧化防御系统带来很大的冲击并能导致氧化压力的出现。

一旦抗氧化防御系统被突破，关节中的氧化压力就会破坏关节的软骨和滑膜衬里细胞。如果身体不能尽快修复软骨，关节健康就会开始恶化。

[另一种关节炎：风湿病]

风湿性关节炎是一种自身免疫性疾病（见第10章）。它的成因是由于免疫系统开始攻击关节的软骨和滑膜衬里细胞。因此，不平衡的（也就是不健康的）炎症过程开始明显地破坏健康组织。这种炎症反应不仅能生成过量的自由基，还能召集更多的细胞因子，尤其是TNF-a。

研究结果显示，风湿性关节炎患者血液中TNF-a因子含量超高。更有研究结果表明风湿性关节炎患者体内的自由基比关节正常的人多5倍。由于严重的氧化压力作用，风湿性关节炎患者的关节受到了严重的破坏。

如果你认识某个得了风湿性关节炎的人，你就会知道这种病的危害有多大；它经常会导致功能障碍性的残疾和病痛。虽然风湿性关节炎患者体内的氧化压力明显大于普通骨关节炎病人，但是这两种病对关节软骨的破坏都是由氧化压力造成的。理解这些疾病的根本原因非常重要，尤其是当你考虑传统的药物疗法时。

[传统的关节炎疗法]

骨关节炎和风湿性关节炎的传统的基本治疗方法是采用非体抗炎药（NSAIDS）和阿司匹林。虽然这些药物能减少关节中的炎症，但是它们也往往会导致一些严重的副作用，例如胃溃疡和上消化道出血。事实上仅在美国，每年都有超过一万个由于服用NSAIDS导致上消化道出血而被送院救治的病例。针对NSAIDS这些严重的副作用，制药公司开发了一些新一代的NSAIDS，这些药物主要只抑制COX-2环氧化酶。被称为环氧化酶抑制剂的能够明显减少上消化道出血的新药品隆重上市了。不幸的是，虽然与第一带NSAIDS相比，这些新药的确能减少上消化道出血的现象，但是仍然有许多副作用，包括肠道穿孔。

我对关节炎患者大量服用这些NSAIDS药物感到担心的原因是由于这些药物其实是止痛药，而并不是针对疾病的根本原因——氧化压力去进行治疗。风湿性关节炎症状严重的病人甚至还要服用更强效的抗炎药物，例如强的松，或者是化疗药物甲氨蝶呤和依木兰。

[佩琪的故事]

佩琪是我在过去几年里有幸认识的一位非常美丽的女士。当我第一次见到佩琪时，她的膝盖退化得非常明显，以至于下腿已经有些外偏了。她不仅膝盖而且连右髋部也非常不适，所以只能以一种很困难的角度来走路。

佩琪告诉我她右膝盖严重的退行性关节炎是由于她十几岁时的一次滑雪意外所导致的。那次意外损坏了她膝盖的软骨，而且不久之后她又不小心让它受伤了。第二次受伤之后，她已经没有选择只能去做手术了，外科医生摘除了大部分严重受损的软骨。虽然他已经尽了力，但是还是告诫她今后这个关节还会出现很多问题。

她的专科医生给了她一个支架佩戴在右膝上，这个支架能在她活动的时候对膝盖起到一定的保护作用。除此以外，他唯一能做的就是建议她服用NSAIDS来止痛和尽可能延迟进行膝盖移植手术的时间了。佩琪知道人造膝盖的寿命只有8到12年，而且是要在运气好的情况下。她还这么年轻，这辈子里可能得做四五次这样的手术。她该怎么办呢？

当我遇到佩琪的时候，她的医生正好刚跟她讨论完是否应该做膝盖移植手术了，而她正在做着剧烈的思想斗争。当然越晚做这手术越好，但是她不得不在当前的痛苦和术后的麻烦之间进行抉择。

佩琪希望能尽一切努力去推迟手术，同时又不会牺牲她的生活质量。她阅读了大量关于营养补充的书，并且相信积极的营养补充方案能够尽可能地提高她的生活质量。她开始服用一些有效的抗氧化物质和矿物质，并补充一些葡萄籽精华素、必需脂肪酸、钙和镁。她每天还口服2000毫克的硫酸葡萄糖胺。

佩琪坚持遵循医生的治疗方针并且改善了饮食。开始营养补充方案几个月后，佩琪已经感到和看到了好转。她已经不再那么依赖她的NSAIDS药物，而且多年以来第一次可以多做一些活动了。她现在变得更加活跃，而且痛苦也减轻了许多。事实上她甚至克服了恐惧的心理，多年以来第一次重新滑雪了。

不过对佩琪来说，最高兴的事情莫过于去找她的医生并且重新给她的膝盖拍了X光片之后了。她的医生看了下这次的X光片并与两年前的做了一下比较，结果让他吃惊不已。比较显示她的膝盖外偏已经没有那么明显，而且他可以看到骨头间的距离增大了。他告诉了佩琪这一现象，然后解释说X光片显示骨间距离增大意味着软骨已经重新生长出来了。

佩琪对这些发现一点也不感到意外，因为她早就感觉出来了，而且早在她研究营养药物的时候就已经考虑到这种可能性了。医生的证明对她来说只不过是一种正式的肯定而已。

佩琪现在还是那么的活跃，还在做着任何她想做的事情（她做任何剧烈运动的时候还是佩戴着护膝支架的），而且她还在坚持补充营养。她每年都要为再次延迟了膝盖移植手术而庆贺一番。

[抗氧化营养补充]

像佩琪一样，任何患了退行性关节炎的人都需要有效和均衡地补充抗氧化物质和矿物质。有力的证据表明，关节炎患者体内缺乏一些抗氧化物质和辅助营养，例如维生素D、维生素C、维生素E、硼（一种矿物质）和维生素B_3。正如你在本书中所学到的，要控制氧化压力，就必须补充最佳剂量的所有这些抗氧化物质。

佩琪就补充了所有这些营养，同时她还服用了另外一个很重要的东西：硫酸葡萄糖胺。

硫酸葡萄糖胺

葡萄糖胺是软骨合成所必需的基本营养成分之一。它是一种简单的氨基糖，主要用于合成蛋白多糖，而蛋白多糖则是赋予软骨弹性的分子。与NSAIDS和阿司匹林不同，葡萄糖胺的作用不是简单地压制疼痛，而是帮助重塑受损的软骨。早前的实验就已表明硫酸葡萄糖胺的短期效用；但是，多数医生对此还是不太重视。

1999年美国风湿病学院的年会上就公布了一项为期三年的大型随机抽样的双盲控制法临床实验结果（医生们最喜欢的实验类型）。这次实验显示葡萄糖胺不仅能够减轻关节炎的疼痛和炎症，而且实际上可以终止软骨状况的恶化。更令人注意的事实是有证据显示软骨甚至可以重新生长——正如佩琪的例子。而服用传统NSAIDS药物的对照组病人的关节还在持续恶化。

这次实验与其他一些实验都证明关节炎患者在每日补充1500—2000毫克硫酸葡萄糖胺后可以取得显著的疗效，而且实际上没有任何副作用。而且更令人欣慰的是，当参与临床实验的病人停止服用葡萄糖胺后，他们的健康状况能保持数周甚至数月。

另一方面，NSAIDS药物正如我早先已经说过的，会导致明显的副作用，例如胃溃疡、上消化道出血，甚至还会造成肝功能损伤。由于这些药物完全无助于减缓甚至还有可能加速退化的进程，我们必须考虑一下为什么NSAIDS会在全世界范围内成为最常见的处方药物之一了。虽然制药公司们对此闷闷不乐，但是越来越多的医生们已经开始转而建议病人们服用硫酸葡萄糖胺了。

我在医疗实践过程中看到的结果是令人难忘的。虽然我建议我所有的关节炎病人服用葡萄糖胺，我也会给他们开NSAIDS来快速止痛。令人高兴的是我发现决定服用葡萄糖胺的病人最后基本上都不再需要吃NSAIDS了。而且如果他们愿意增加抗氧化物质、矿物质、必需脂肪酸和葡萄籽精华素等营养补充的话，他们的疗效甚至会更好。

我并不是唯一深信这一点的。我有许多整形外科的朋友也支持使用葡萄糖胺，因为他们意识到病人最关心的是能否尽量推延关节移植手术的时间。

硫酸软骨素

硫酸软骨素经常与硫酸葡萄糖胺相配合，形成一种连续出击。软骨素也是蛋白多糖的一个组成部分，负责把水分吸入软骨。这使得软骨更具柔软和柔韧的特性。没有这种重要的营养成分，软骨就会变干变脆。

我个人感觉最重要的营养成分还是硫酸葡萄糖胺。口服软骨素的作用还是需要进一步的研究，必须由大量的临床病例作为理论依据来判断软骨素到底是否真的有效。我也相信应该对MSM（一种天然抗炎物质）做更深入的研究。但是我有一些病人在补充了这些物质之后取得了明显的疗效。

> **硫酸软骨素**
>
> 一些实验结果显示，关节炎病人在补充了软骨素后出现了好转。但是许多这些得出正面结论的实验采用的都是静脉注射软骨素的方式，而且一些研究者们担心软骨素不能通过消化道有效吸收。有的人认为它会被分解吸收后再在关节软骨处重新聚合。我感觉我们还需要进行更多的实验来判断它对骨关节炎治疗的整体重要性。

[骨质疏松症]

骨质疏松症是一种由于营养缺乏所导致的疾病，在美国甚至已经成为一种流行病。作为最富有而且饮食最丰富的国家之一，美国现在有超过2500万骨质疏松症患者，他们承受着骨质疏松所导致的骨折，并且每年都要因此花掉大约140亿美元。在美国，每年有至少1200万个骨折病例是由骨质疏松直接导致的。我甚至见过有的病人只是想走进我的办公室，而在没有摔跤或者任何受伤的情况下折断了他的髋骨。我的骨质疏松症病人们由于椎骨和后背自然压缩断裂而承受着巨大的痛苦。

美国民众一直认为是否会患上骨质疏松症仅仅是由雌激素和钙质所决定的。对于这种全国性的危机，医疗机构只能通过荷尔蒙替代疗法（HRT）来试图帮助绝经期妇女减缓骨质疏松症。

虽然许多人都相信HRT疗法可以减缓骨质疏松症的发展，但是这种疗法实际上是弊大于利。1997年，《新英格兰医学杂志》报道了一些实验结果，实验对象是一些已经采用了五到十年雌激素疗法的妇女。实验结果让人大吃一惊,这些病人得乳腺癌的比例增长了40%。制药公司迅速对这一负面报告做出了响应,试图说服医生们HRT疗法利大于弊,他们往往利用其他一些临床实验结果来鼓吹采用HRT疗法的病人可以减少得心脏病、中风和阿滋海默症的可能性。

但是,另外两项大型研究,雌激素／黄体酮对心脏病预防的替代治疗研究(HERS)和美国妇女健康计划显示,这一疗法并不能减缓心脏病的发展。事实上一些证据指出,采用HRT疗法的病人实际上心脏病发作的可能性更大,尤其是在第一年。有趣的是,这些研究的确显示采用HRT疗法可以明显降低LDL(不好的)胆固醇,而且可以明显增加HDL(好的)胆固醇。那么为什么这些病人得心脏病的可能性会加大呢?

我相信答案在于其他一些研究显示服用人工合成的HRT药物会极大提高他们的C反应蛋白,而你可能还记得,这正是衡量动脉炎症的一个手段。它实际上是一个比胆固醇更能预测心脏病发作的指标——尤其是对于妇女而言。要记住,心脏病是一种炎症性疾病,而不是胆固醇疾病。

当那些想通过人工荷尔蒙替代疗法避免骨质疏松症的妇女们看到这些最新的临床研究结果之后,可能就会认为它的好处并不能抵消它的弊端了——尤其是当你考虑到它的一些已知副作用,例如采用HRT疗法的病人可能出现腿部血液凝块和胆囊疾病等。现在市面上出现了一些新的治疗骨质疏松症的药物,例如阿仑磷酸钠、利塞磷酸钠、易维特和降钙素等,它们确实能够提高骨密度。医生们现在越来越倾向于向病人们推荐这些药物,而不是HRT疗法,这主要是由于人们已经越来越担心长期采用HRT疗法的毒副作用。短期研究显示,这些药物可以显著减少骨折和反复骨折的危险。关于妇女在绝经期面对的这些疾病和其他问题的详尽讨论,我建议你们阅读克里斯缔安·诺素普(Christiane Northrup)医生的书,书名是《更年期的智慧》(The Wisdom of Menopause)。

[骨骼不仅是钙还是活的组织]

还记得高中和大学生物教室里的骨骼标本么？它不仅是恶作剧的道具，还是综合考试的重要对象。虽然这种常见的模型让许许多多的孩子们认识了骨骼，但是我们往往会认为它是纯粹的骨头（就像标本那样）而没有意识到骨头也是有生命力的活组织，它一直通过成骨型（骨头形成）和破骨型（骨头被吸收）的活动进行着自我的重塑。

骨头并不仅仅是一些钙结晶的聚合；而是不断参与一些生物化学反应的活组织，并且依赖于许多各种各样的微量营养成分和辅酶系统。因此，与任何活组织一样，骨头也有各种各样的营养需求。

美国人的食谱中含有大量的白面包、精面粉、精制砂糖和脂肪，非常缺少许多必需的营养成分。美国人的食谱还含有大量的肉类和碳酸饮料，因此美国人会大量摄取磷而影响了钙的吸收。不能足量摄取维持骨骼健康所需要的任何营养都会导致骨质疏松症。

另外一个常见的与骨骼有关的误区是认为要强化骨骼预防骨质疏松症的话，只要补充钙质就足够了。但是事实上要真正减少美国骨质疏松症发病率的话，人们不仅需要补充钙质，还需要补充各种必需的营养成分。

要减少脊骨、髋骨和腕骨骨折的危险性，我们必须注意以下几个重要的因素：保持适当的骨密度、防止骨骼中的蛋白基质流失，另外还要确保骨骼能获取自我修复和替换缺损部位所需要的所有营养成分。在这三个保护和修复骨骼的领域中，营养补充都扮演着非常重要的角色。

让我们来看一下每种营养成分以及它是如何帮助我们抵御骨质疏松症的吧。

钙

毫无疑问缺乏钙质会导致骨质疏松症。但是研究显示绝经期妇女骨骼缺钙的只占25%。的确，这些妇女看上去是应该增加骨密度，但是补钙对于其他75%并不缺钙的人不会有任何帮助。最近的研究显示补充钙和维生素D可以延缓骨质疏松症，但是并没有任何证据显示补充这些营养可以起到预防的作用。这些研究还显示被调查对象的髋骨、脊骨和腕骨骨折情况减少。换句话说，补钙的确有帮助，但是并不是解决的办法。

钙是防治骨质疏松症所必需的营养补充。不论男女，我们每天都应补充800—1500毫克的钙，具体剂量取决于我们每天饮食中摄取的钙量。人们对柠檬酸钙的吸收比碳酸钙要好；但是如果是通过食物摄取并且有足够的维生素D的话，这两者的吸收率是基本相同的。不论你服用的是哪种钙，都应该随食物一起服用以便更好地吸收。

注意，儿童也应该补充同样剂量的钙质。事实上研究证明，青春期前的儿童如果每天服用800—1200毫克的钙，骨密度能提高5—7%。这一发现非常重要，因为这种骨密度的增加不仅能维持到青春期，而且能伴随他们终生。

镁

镁对骨骼中发生的一些生物化学反应起着重要的作用。镁能激活碱性磷酸酶，这是一种新骨质结晶形成过程中必需的酶。镁还能将维生素D转化为更活跃的形式。如果体内含镁量不足，就会导致维生素D阻抗综合征。

饮食调查显示80—85%的美国人食谱中都缺乏镁。

维生素D

钙质的吸收需要维生素D。维生素D一般可以通过日晒从皮肤中生成。但是正如你所知道的，老年人一般都不喜欢晒太阳，所以缺乏维生素D是很普遍的现象。

我们还可以通过强化食物和牛奶来补充维生素D，但是它必须能够被转化成其生物活性形式，维生素D_3才能被利用。与摄取量不足相比，不能将维生素D转换成D_3往往是更严重的问题。因此当我建议人们补充维生素D的时候都会建议他们选用生物活性维生素D_3。

《新英格兰医学杂志》报告了一项实验,研究者们调查了连续290名被送到马萨诸塞州综合医院就医的病人体内的维生素D的含量。这些病人之前一直保持充沛的活力并且没有被送往养老院寄住。医院工作人员检查了他们体内的维生素D含量,发现其中93%的病人都缺乏维生素D。令人惊讶的是,即使是那些一直服用复合维生素的病人体内缺乏维生素D的也占了93%。这一发现非常重大,因为没有维生素D,人体就不能吸收任何的钙质!

这篇研究报告总结说我们每人都需要补充比每日建议摄取量(RDA)高出许多的维生素D。这些研究者们认为要预防骨质疏松症,我们每天应该摄取500~800个国际单位的维生素D。另外要记住——如果维生素D和食物一起服用的话,我们对钙的吸收会更有效。

维生素K

维生素K是成骨型过程必需的营养物质,也是一种在骨骼中大量存在的蛋白。因此,它在骨骼形成、重塑和修复过程中都是非常关键的。一项临床实验显示,通过对骨质疏松症患者补充维生素K可以有效减少18%~50%的尿钙流失。这意味着维生素K可以帮助身体吸收和保存钙质而不是任由钙质排泄出去。

锰

锰是软骨和骨骼的结缔组织所必需的元素。与镁一样,把谷粒加工成精面粉的过程会导致锰的流失。一项对患有骨质疏松症的妇女进行的调查显示,她们体内的锰含量仅为对照组妇女的25%。要预防骨质疏松症,我们也应该设法把体内的锰含量提高到最佳水平。

叶酸、维生素B_6和维生素B_{12}

这个组合看起来是不是有点眼熟呢?是的。高半胱氨酸(见第6章)

不仅对我们的血管有害，而且也会危害我们的骨骼。体内高半胱氨酸含量过高的人也被发现有明显的骨质疏松症症状。

有趣的是，绝经期前的妇女分解蛋氨酸的能力明显较强，因此很少形成高半胱氨酸。但是这一点在绝经期后明显改变。绝经期后的妇女体内的高半胱氨酸水平显著提高。这是否能够同时解释绝经期后的妇女患心脏病和骨质疏松症的比率会明显增高呢？事实证明这些妇女需要补充更多的叶酸、维生素 B_6 和维生素 B_{12} 。

硼

对于骨骼的新陈代谢过程而言，硼是一种有趣的营养成分。在实验过程中补充硼的含量能使尿钙排泄量降低将近40%。硼还能够增加镁的浓度，减少磷的含量。每天补充3毫克的硼是最适合的剂量。

硒

硒的重要性在于它能增强结缔组织基质，从而增强骨骼。希望帮助新骨骼生成的骨质疏松症患者应该补充硒。

锌

要使维生素D正常发挥作用，这种矿物质是不可或缺的。我们发现骨质疏松症患者的血清和骨骼中都存在血清锌含量不足的问题。

[预防骨质疏松症]

我能保证：你不想想上骨质疏松症。我已经治疗过几例重症患者。这是一种使人衰弱而且痛苦的疾病。病人的脊骨总是出现反复的骨折而且长时间处于极度的痛苦之中。正如我前面已经介绍过的，骨质疏松症并不仅仅是一种由于缺钙和缺乏雌激素所导致的疾病。我们的身体需要多种营养物质来帮助骨骼重塑和生成新的健康的骨骼。

我们还需要控制体内的氧化压力。最近的研究显示体内骨密度较低的人氧化压力也比较大。所以你不仅需要补充这些骨骼生长所必需的重要营养成分，还需要服用各种抗氧化物质和辅助营养来增强自身的抗氧化防御系统。

我建议我所有的病人，不论男女，最好在40岁之前就应该开始补充高品质的抗氧化物质和矿物质药片，并且额外补充钙、镁、硼和硒等。成年人还必须注重健康饮食和适当运动。运动项目中应该包含负重锻炼，因为它们可以促进身体骨骼生成。步行也许对小腿有帮助，但是对背部和髋部的帮助不大；上体负重练习，例如举重过头也能很好地帮助我们预防这种严重的疾病。

即使是绝经期的病人已经发现她们有早期骨质疏松的问题，也就是所谓的骨量不足。她们通常也会发现同一方法可以改善她们的骨密度。如果病人们愿意改变一下她们的生活习惯的话，我会暂时不用阿仑磷酸钠、利色磷酸钠、易维特和降钙素这些药物，她们应该服用高品质的营养补充，同时调节膳食并且开始进行一些负重锻炼。

※　　※　　※　　※　　※

预防关节炎和骨质疏松症的关键都在于细胞营养。我在这里已经给你列举了一些营养物质，让你初步了解一下医学界希望我们认识到它们的重要性。

正如你已看到的，预防这些可能导致残疾的问题不仅仅是所谓的缺钙或者缺乏雌激素的原因。在这一领域，营养补充同样可以帮助我们的身体维持或者夺回已经失去的健康。

第 12 章　肺病

年轻的妈妈已经很困了，她推开门走进正在学步的儿子的卧室，想在睡觉前再看一眼只有两岁大的克里斯汀。当她弯下腰去亲吻他的额头时，她完全被吓倒了：她的儿子脸色发青而且已经停止了呼吸。

在拨了911急救电话之后，她开始试着给他抢救。医护人员赶到了，不久克里斯汀就被送到了急救室。他们继续为他做心肺复苏，因为这个小男孩的心脏已经停止了跳动。最后急救医生成功地让克里斯汀的心肺恢复了响应。

这个曾经非常活跃的小男孩住院了，他被确诊为得了严重的哮喘病。

医生们使克里斯汀的病情稳定下来，然后让他开始服用一种名叫茶碱的药物来扩张气管。虽然他的父母因他最终活了下来而松了一口气，但是他们还是非常担心他的未来——他们之前并不知道哮喘会发作得那么突然而且还那么严重。为了确保克里斯汀能接受全面的护理，他的父母把虚弱的克里斯汀接回了家。

克里斯汀的童年一直存在肺活量不足的问题。他不能与其他孩子一起参加虽然正常但是对他来说却过于粗暴的活动，而且当他长大一点之后，医生们还不得不给他增服越来越多的药物，因为他的肺功能太差了。

就在克里斯汀 15 岁那年，噩梦又重演了。他又经历了一次严重的哮喘病发作。他在家里昏倒了，并且停止了呼吸。当护理人员赶来为他施行心肺复苏术的时候，他的父母又想起了从前。他的心脏和肺还是一直到了急救室以后才恢复了功能。这次住院后，克里斯汀开始服用一种名叫强的松的抗炎药，这种药他一直吃了 14 年。

在克里斯汀 27 岁的时候，由于肺功能非常弱，他不得不吃着 9 种不同的药物。肺功能检测显示，他的大呼吸道正常工作量只有 17%，而小呼吸道正常工作量只有 8%。虽然吃着那么多的药物，克里斯汀还是几乎无法生存。他完全无法从事任何体力活动，而且每天都在恐惧中生活着，担心着下一次哮喘病的发作。他必须确保随身带着喷雾剂和足够的药物。他的生命完全取决于它们。

大约就是从这个时候开始，克里斯汀决定通过每餐服用一种有效的抗氧化物质和矿物质药片来重建他的健康。不到 90 天，克里斯汀就能断定自己已经好一些了。受到这种鼓励，他开始增加一些维生素 C、钙、镁和葡萄籽精华素。在接下来的 20 个月里，克里斯汀的肺功能一直在好转，他的医生也最终决定让他停服强的松。克里斯汀曾经对我说："一个人只应该吃 14 天的强的松——而不是 14 年！"

克里斯汀之后的肺功能复查结果一直在持续改善。在坚持服用了营养补充两年之后，克里斯汀发现自己的大呼吸道功能已经达到正常水平的 87%，小呼吸道的功能也已经达到了 56%——他此时服用的药物种类已经从 9 种减少到了 3 种，因此这对他来说已经是个了不起的成就了。

他的舒喘宁喷雾剂本来一瓶只能用 1 个月。现在它至少能用 6 个月了，而其中至少有一半的时间里，他甚至不知道它在哪里。现在的克里斯汀已经可以无忧无虑地参加一些体育运动和锻炼了。他的哮喘病再也不能掌控他的生活了。

[肺和空气污染]

在考虑到体内形成氧化压力最主要的原因时,最严重而且最有效的原因就是通过呼吸道进入体内的。呼吸道从鼻腔入口一直延伸到肺部薄薄的肺泡。我们今天呼吸着的空气充满了臭氧、氮氧化物、燃料废气和二手烟。一句话:吸进去,咳出来。

我永远也不会忘记我去圣地亚哥墨西医院实习的路程。我在中途停了一下,去阿苏萨市探望朋友们。那里的烟尘实在让人无法相信,尤其是对于一个来自南达科他州的男孩来说。第二天早上,我的朋友带我走进他家的院子,想看看伟大的圣伯纳德汀诺山脉。唯一的问题是:我们根本没有办法看到它。我永远也不会忘记他深深地吸了一口气,然后告诉我早上的空气是多么的清新。

我也深吸了一口气,但是却开始不停地咳嗽。事实上那天迟些时候,当我去打高尔夫球的时候,我每吸一口气都会止不住地咳嗽。打完第七个洞以后,我不得不放弃了。我很尴尬,因为当其他选手试着去击球或者探球入洞的时候,我却一直忍不住咳嗽。任何认识我的人都应该知道我是多么热爱高尔夫球。让我在中场退出,实在是太难过了!

奇怪的是阿苏萨市当地人有一句玩笑话说看不见的空气是不可信的。而我描述的这一天根据后来看到的新闻报告只是一个"烟尘浓度适中"的日子。

空气污染物会在我们的呼吸道乃至身体中产生大量的氧化压力。而当你吸烟时,还会导致更大的氧化压力,你实际上是在毁坏自己的鼻腔和肺。

不过上帝还是没有让我们孤立无助。他创造了一套精细复杂的防御系统来帮助我们的呼吸系统抵御这种攻击。

[肺部的天然保护机制]

抵御这些有毒促氧化物的第一道防线被称为上皮表面液体(ELFs)。我们从鼻腔到肺底都覆盖着一层厚厚的黏液外膜。这些上皮细胞表面覆盖着纤毛，从而形成了一个非常精细的刷状缘。刷状缘可以把我们吸入的外界微粒、细菌和病毒扫出体外。这层厚厚的黏液外膜还含有丰富的抗氧化物质，可以中和我们吸入的污染物，例如臭氧、氮氧化物和燃料废气等。它们组成了一套非常有效的保护层，因此大多数情况下这些污染物甚至没有机会接触到下面的上皮细胞。

ELFs是我们的第一道防线，这些黏液、纤毛和免疫反应组成了一套系统，能够非常有效地预防呼吸道的感染。下层的上皮细胞还会为这道黏液防线生产和分泌出一些抗氧化物质，包括维生素C、维生素E和谷光甘肽。所有这些物质都能努力中和掉所有被我们吸入的污染物，从而保护下层的肺组织和肺功能。其中维生素C是这个黏液层预防系统中表现最突出的抗氧化物质。它在这些液体中不仅仅是重要的抗氧化物质，而且还有能力重新生成维生素E和谷光甘肽。

不过，呼吸道感染和通过空气传播的污染物还是有可能突破上皮表面液体（ELFs）中的这些抗菌、抗病毒和抗氧化系统。当出现这种情况时，大量的炎症－免疫反应就会发生。由于免疫反应召集了大量的白细胞来消灭入侵的生物体或污染物，肺部黏液外膜层的液体会变得非常黏稠。

正如你已知道的，我们的免疫反应会诱发大量的炎症。如果入侵者能被迅速消灭，所有的问题都会迎刃而解。但是如果炎症反应不能停止或者受到控制，就会导致下层的上皮细胞受损。因此会转变为慢性炎症，导致明显的肺组织损伤和肺功能削弱。

[哮喘]

肺部的慢性炎症可导致病人明显的疲乏和免疫功能下降。无论免疫系统是在抵御慢性感染还是空气中的污染物时，慢性炎症都可能导致哮喘反应，尤其是在儿童中发生较多。这些孩子看上去总是不断地出现感染，而且他们的活力指数也远远比不上那些呼吸道健康的孩子。

当我在20世纪70年代初期开始从医时，医生们相信哮喘的根本原因是支气管痉挛。这是指环绕着我们支气管的环肌出现了痉挛而使肺部通气管道狭窄，从而导致了胸闷、气短和气喘（声音很大，往往不需要听诊器也能听到）的现象。我们当时首选的治疗方法是使用一些能够缓解支气管痉挛的药物，例如茶碱和舒喘宁。如果病人的病情非常严重或者甚至必须送院治疗的话，我们还会让他们加服一种强效的抗炎药物，强的松。

但是在我从医几年后，研究者们开始发现哮喘从本质上来说是一种慢性炎症。我们的治疗方法也开始相应地发生了变化，我们停用了茶碱类的药物，转而首选一些抗炎药物（吸入式的类固醇或色甘酸钠）。而过去10年中进行的研究进一步地推断出哮喘和几乎每一种慢性肺部疾病的根本原因是由氧化压力所导致的。

我孩子的体育老师告诉我，在她20年前开始教学的时候，她会要求学校里的孩子们跑1英里。这不是什么大问题。但是现在情况已经完全变了。当她要求孩子们跑1英里之后，她会收集到满满两口袋喷雾剂瓶子。哮喘已经变成了全美国乃至所有工业化国家孩子们的流行病。

当我在伦敦和荷兰演讲时，听众们最关心的问题就是他们的孩子所患的哮喘的严重性。我发现在全世界的范围内，我们这一代的孩子吸入的空气污染物比以往任何一代都多。我看见一些孩子还没到两岁大就已经患上了严重的哮喘。这些孩子们为了能够呼吸而不得不服用的药量是令人难以置信的。

目前大多数药物的目的是减少这种炎症反应和缓解随之而来的支气

管痉挛。但是，氧化压力这一根本问题还是没有得到解决。

我从一些临床实验结果中看到，哮喘病患者肺部细胞外黏液层的抗氧化物质明显不足。这些孩子即使在没有发病的时候，黏液层的抗氧化物质维生素C、维生素E和β胡萝卜素含量都很低。相反，由于氧化压力导致慢性炎症和呼吸道过度活跃而产生的副产品却很多。

[亚当的故事]

亚当3岁的时候就得了严重的支气管哮喘。他的父母痛苦地看着他挣扎着只是为了喘上一口气。这个小男孩不断地吃着各种药物，而且必须用喷雾器（一种能把药物和普通的盐混合释放的呼吸机）来接受舒喘宁治疗。但是他的药物耐受能力很低。由于含有刺激成分，亚当很难入睡，而且还出现了心悸的症状。更不幸的是，虽然用了这些药物，亚当还是不能跑步、打球，或者去参加哪怕是最轻度的活动。他经常感冒，而且经常因为呼吸困难被送往急救室。

最可怕的事情发生在亚当4岁生日那天。他得了一场感冒并且迅速恶化。他高烧至105华氏度，急救室X光显示他有严重的肺炎和无法控制的哮喘。现在我们很少认为自己的孩子会死于肺炎，但是这种可怕的想法当时的确占据了亚当父母的脑海。这个正在过生日的孩子很幸运地熬过了这场重病，但是随之而来的虚弱和潜伏着的哮喘还是一个严重的问题。

虽然医生们已经尽了全力去医治亚当，但是他还是无法适应医生们开的药。他们的办法不够理想。他的父亲开始寻找其他任何可能帮得了自己孩子的治疗方法。当这位父亲告诉我亚当的故事时，他说他想起初夏的时候他们决定实验一种强效的口服复合维生素，想看看它有没有帮助。他清楚地记得亚当在初夏的时候甚至能够呆在游泳池边上试着下水去玩。到了夏末的时候，亚当甚至已经可以游到泳池的另一头了。仅仅

6 天的时间, 亚当就从一个基本没有任何体能的孩子变得可以赶上其他的孩子了。亚当还开始打棒球, 并且最后甚至可以踢足球了。事实上随后的 4 年中, 他一直在一个巡回足球队中踢球。

亚当不仅能够玩耍, 而且在体育方面的表现也很优秀。(作为一名医生, 我必须说对运动员来说足球可能是最难的体育运动了。)他已经可以停用大多数的药物, 而且只需要偶尔用一下喷雾剂了。亚当现在已经 13 岁了, 而且仍然很热衷于体育运动。他最终选择了棒球而不是足球, 并且过上了一种他和他父母都从未想象得到的生活。

这位年轻的运动员还在坚持服用一种强效的复合维生素, 而且增加了一点葡萄籽精华素和更多的维生素 C。他的父母看着自己的孩子从基本残疾变得如此活跃的时候一定是喜出望外。他们肯定不会怀念那些拜访急诊室的经历! 营养补充带来的终生变化是那么的简单而深刻。

[哮喘与营养]

现在当我在办公室碰到患有严重的过敏性哮喘或干草热的孩子, 我就会意识到他明显存在免疫和抗氧化防御系统功能低下的问题。在他来找我的时候, 他已经与呼吸道和肺部的慢性炎症抗争了一段时间了。因此这些孩子看起来几乎对任何东西都过敏。他们都有黑眼圈, 他们都很疲倦, 而且他们都服用着大量的药物。

我会让他们服用一种强效抗氧化物质和矿物质药片, 另外还会增加一些低温压榨的亚麻籽油或鱼油来补充必需脂肪酸。正如我们在第 10 章中讨论过的, 必需脂肪酸是很重要的, 他能使身体产生天然的抗炎物质, 从而有助于控制炎症。

葡萄籽精华素不仅是一种很好的抗氧化物质, 而且它看起来还有抗过敏作用。这对患有哮喘病的孩子来说是一种非常有效的营养补充。我一般建议患者按照每公斤体重 1-2 毫克的剂量来服用葡萄籽精华素。我还会让这些孩子额外补充一些钙和镁。镁有助于缓解肺部肌肉的支气管痉挛。由于正是这种痉挛导致了呼吸通道狭窄，所以补充镁可以帮助呼吸通道扩张。

我一直告诉父母们要强化他们孩子的抗氧化和免疫系统大概要花6个月的时间，所以他们不需要操之过急。如果他们在春天来看病，我会告诉父母们孩子到了秋天的时候就会好很多。所有患了哮喘或者干草热的孩子通过这种营养补充计划的治疗之后都有了好转。有的情况像亚当那样理想，有的只是相对好转，但是疗效都是肯定的。

请注意：我从不认为患了哮喘的孩子们应该停用他们的药物，因为就如我前面已经讲过的，营养补充不是替代药物——它们是互补药物。

我喜欢治疗有严重过敏症状的孩子，因为他们对营养补充的反应是那么好。我记得一位妈妈在让她的孩子服用了我建议的营养物质不久以后告诉我的故事。她5岁大的孩子当时正在滑雪橇。按照惯例，这位妈妈拿着孩子的喷雾剂耐心地等在门口。已经有两年多了，她的孩子没有喷雾剂的帮助就完全不能进行任何活动，尤其是在户外的冷空气里活动。当她发现自己的小女儿已经可以在雪地里玩上一个上午而不需要她的喷雾剂时，这位妈妈惊讶了。

我还记得有一次我们全家在爱荷华州苏市聚会的情景。当我们沿着密苏里河散步的时候，我的女儿和外甥女开始追逐着赛跑起来。就像其他好舅舅那样，我在后面叫喊着给孩子们加油，当我女儿胜出后开始批评我的外甥女。我的外甥女立即回答说她当时只是惊讶于自己竟然能够跑步了。她原来由于得了运动性哮喘而根本不能跑步的。我忘记了自己几个月前就开始让她补充营养了。

成年的哮喘病患者也能取得同样的疗效。当我的妻子还患着慢性疲劳和肌肉纤维痛的时候（见第1章），其中一个最麻烦的问题就是她有严重的哮喘和干草热。如果不戴那种需要接触有毒材料的工人才会配备的巨大面具的话，她甚至无法走进马棚。我的妻子深爱她的马，她会想尽一切办法去接近它们！

莉斯当时用着5种不同的药物来控制哮喘和过敏，其中包括抗过敏针。但是当她开始进行治疗性营养补充计划之后，她的哮喘和干草热都迅速好转了。当她的身体防御系统开始重建以后，莉斯就不再需要佩戴面具了，而且她也停用了所有的药物。她偶然还会出现一点过敏症状而必须要吃点药；但是这种情况一年大概只有两三次。

不用说，我们的孩子和许多成年人实际上都承受着所处环境的攻击。环境正在把他们慢慢地拖垮，他们需要营养补充的支持。正如克里斯汀和亚当的例子，药物并不能完全解决问题，而当人们救助无望的时候，他们就会开始寻找别的出路。但是要记住，我推荐的并不是替代药物；我强烈建议人们服用营养补充作为互补药物。

问题是，为什么只有我这么做？为什么医生们那么不愿意建议他们的哮喘病和过敏症患者补充这些营养呢？这对我来说是一个秘密。

[空气污染与慢性阻塞性肺病]

没有什么比看着病人们不论老少都挣扎着去呼吸每一口空气了，他们往往每天24小时都必须吸氧。这就是慢性阻塞性肺病（COPD）患者经常碰到的情况了，这些疾病包括肺气肿、慢性支气管炎和细支气管炎。这些病人几乎无法尽力活动，而且经常发现肺功能的残缺极大地妨碍着他们去享受生活。

并非所有人都能够有意识地去选择一个健康的居住环境，但是我认为预防是很重要的。此时，我再次意识到生命到底能活多少年并不是那么重要，重要的是我们在有生之年里的生活质量。我们应该尽力去巩固我们的健康，或者去重新夺回已经失去的健康。

空气污染是一个关键因素。大量的证据显示，吸入香烟烟雾和空气中的污染物会加重氧化压力，而氧化压力正是COPD的根本致病原因。随之而来的肺部的慢性炎症还会产生更大的氧化压力，从而破坏敏感的肺组织。肺组织受损导致肺功能下降，氧气无法通过受损的细胞膜快速地进入血液。

研究显示COPD的病因是氧化压力

W·麦可尼（W. MacNee）在美国胸科医学会《Chest》杂志和诺瓦提斯座谈会（Novartis Foundation Symposium）上提到，他认为大量科学证据显示氧化压力是COPD的根本原因。他发现由于氧化压力增大和饮食中可能缺乏抗氧化物质，许多这种病人肺组织中都缺乏抗氧化物质。他指出，因此采用"高生物利用度"（能有效被肺部吸收）的抗氧化物质作为治疗手段不仅可能减少氧化作用直接导致的损伤，而且还很可能消除COPD发展过程中的关键因素。

传统药物疗法，尤其是类固醇对COPD的治疗收效不明显。显然，医生们首先要做的事情就是帮助吸烟的病人们戒烟。这并不是一件简单的事情。我发现让病人们戒烟要比戒酒甚至戒用一些麻醉剂更难。但是这对病人有巨大的好处。因此，我几乎愿意去做任何事情来帮助我的病人们戒烟。

（你会在这本书中发现一条原则，那就是你绝对必须去尽量避免接触这些会产生额外氧化压力的事物。要健康不仅仅是建立你自身的抗氧化防御系统就能做到的。）

如果你已经得了COPD而且从来没有吸过烟或者正在吸烟的话，营养补充可能是减缓COPD病情的最好的方法了。这一原则适用于所有这些慢性肺病，就像它对哮喘病那样有效：越早开始治疗性营养补充计划，你就越有机会控制病情的发展。一旦肺部严重受损，就像许多吸烟者已经出现的情况，那么肺功能就很难得到明显的改善。

[囊肿性纤维化]

囊肿性纤维化（CF）是一种致命的遗传病，其主要特征为消化吸收不良（身体无法很好地从食物中吸收营养）和慢性肺部感染。囊肿性纤维化病人的吸收不良症状主要是由于缺乏胰腺酶。另外还有肺通道的上皮细胞机能不良，导致黏液积累和细菌感染的增加。这种疾病的特征——肺部缺损也是由于肺部上皮黏液层中的巨大的氧化压力。

一些临床实验结果显示，囊肿性纤维化病人肺部上皮细胞和上皮黏液层中严重缺乏维生素E、硒、β胡萝卜素和重要的抗氧化物质，谷光甘肽。持续的炎症减少了保护病人肺部所必需的抗氧化物质，而同时吸收不良的问题会使病人无法补充足够的营养成分。

囊肿性纤维化是一个最佳的例子，它向我们展示了当我们天然的免疫和抗氧化防御系统不能正常工作的时候会出现什么样的情况。肺组织累积的氧化伤害会迅速发作，这些病人绝大多数还未成年就已死亡。

但是最近的研究带来了新的希望，也就是说，通过营养补充可能会减缓这种疾病的发展。通过为囊肿性纤维化病人提供胰腺酶和强效抗氧化物质，研究者们能使患者体内的维生素E和β胡萝卜素的含量恢复到几乎正常的水平。临床实验还显示，当病人吸收了重要的抗氧化营养成分后，体内的氧化压力就能受到控制，而病人缺损的免疫系统也会得到改善，因此能更好地抵抗慢性感染。

这些临床研究为医生们给囊肿性纤维化病人补充胰腺酶和强效营养补充提供了有力的依据。补充这些物质只能改善这些病人的状况，并且有可能减缓疾病的发展。

[夏莉的故事]

夏莉是一个年轻漂亮的女性。她富有活力精力充沛——正是健康的写照。你绝对猜不到她早前的时候还在挣扎求存。是的，夏莉先天患有囊肿性纤维化。她现在已经29岁了，而由于这种病人只有30%能活到成年，所以她已经是一个幸运的人了。

没有人能比夏莉和她的妈妈考利特更能体会到这一点。夏莉的姐姐也患有囊肿性纤维化，她几年前做完双侧肺移植后死亡了。这是两个亲密无间的姐妹。由于她们都有这种慢性病，所以她们之间有着多数孩子都无法体会得到的纽带。实际上看着自己的姐姐做完肺移植手术后经历到的痛苦和死亡，夏莉下定了决心去尽一切可能保护自己的肺，以便战胜她们共同的敌人。

夏莉的姐姐莱克西死的时候，夏莉只有15岁。这种悲痛对她来说是一个沉重的包袱，但是夏莉还肩负着自己的抗争——多数情况下她的肺功能只有35%。她的医生也希望对她进行肺移植手术。

由于姐姐的经历，夏莉决定拒绝这一建议，而是选择去尝试使用强效的抗氧化药物来改善自己的病情。莱克西早前就让她看到了这一希望。夏莉看到莱克西在肺移植后服用营养补充的效果很好。医生们曾经以为莱克西手术完不久就会死亡，但是她是一个勇敢的战士，而且在营养补充的帮助下，她恢复得相当好。

虽然莱克西后来只活了几个月，但是夏莉还是相信她最好的选择还是通过补充营养来试着改善自己的身体。她开始服用一种强效抗氧化物和矿物质药片，同时另外补充了维生素C、钙、镁和葡萄籽精华素。她的疗效惊人的好。几个月后，她的肺功能就已经提高到超过50%。她的医生们都惊呆了。

夏莉开始上体育课，并且甚至可以参加一些运动量比较小的体育运动了。她一直相信自己越锻炼身体就会越好，虽然她还是会有感染而不时要去医院接受静脉抗生素注射。但是除了这些小小的缺憾以外，夏莉看到自己的生活和活动能力都已经几乎达到正常水平了。

不去做肺移植而开始治疗性营养补充计划对这个年轻的生命来说，也许是她这辈子最明智的决定了。夏莉作为榜样为许多其他囊肿性纤维化的儿童带来了希望。

不幸的是，夏莉的斗争还在继续。大约3年前，她出现了呼吸急促的症状。这是她所经受过的最痛苦的事情。医生对她检查完之后，不得不通知她的母亲夏莉的一侧肺叶已经完全封闭不再工作，也就是所谓的气胸。

这对夏莉来说肯定是一种打击——刚开始的时候。但是她决心克服这一困难，并且最终靠着仅存的一个受损的肺恢复了接近正常的生活。她为获得空气和战胜感染所做的抗争还在继续着。在一次严重的肺炎使她的呼吸功能降低到15%之后，她又恢复了活跃的生活习惯，这使她的医生们大为震惊。事实上她的呼吸功能又恢复到35%了。

夏莉的成功除了无畏的勇气和力量以外，还依靠了最好的医护工作和营养补充的帮助。夏莉已经学会了如何把握好每一天的生命。每一天的生命对她来说都是一个珍贵的礼物。

我认识夏莉到现在已经7年多了，她对我来说已经成为一个坚强的鼓励。

※　　　※　　　※　　　※　　　※

我们现在已经发现我们不得不生活在一个充满毒素的世界中，而我们的肺部可能是最容易受到影响的部位。虽然我们的身体的确有一套很好的天然防护系统，但是它们仍然可能会被突破。我们必须把这些天然的防御系统提高到最佳工作水平。

我在这一章里告诉你的故事都是富有戏剧性的，而且它们都是真实发生了的故事。看着哮喘病、过敏症和囊肿性纤维化的病人在知道如何通过营养补充为他们的肺提供天然的抗氧化和免疫系统，因而能够得到这么大的好转，这难道不是一件让人惊喜的事情么？这是不是你也正在寻找的奇迹呢？

第13章 神经退行性疾病

2001 年 8 月是卡尔·莫纳（Carl Mohner）80 大寿。世界各地的艺术爱好者都庆祝他的生日，尤其是德克萨斯州麦卡伦市的人。

卡尔也许会成为一个传奇人物，1941 年他在奥地利萨尔茨堡市成为一名演员。第二次世界大战中断了他的演艺生涯，此后卡尔又回到了电影圈，1951 年他出演了《Vagabunden der Liebe》，这是他出演的第 61 部电影。他最出名的电影是获得 1953 年戈纳电影节金棕榈奖的《The Last Bridge》，第二年同样获奖的《Rififii》现在已经成为经典之作。美国观众们印象最深的是卡尔在《Sink the Bismark》里饰演的林德曼船长和在《The Kitchen》里饰演的渔夫彼得。

虽然卡尔在电影界非常成功，但是他最爱的还是绘画。

电影的情节和深度吸引着他，但是对卡尔来说，色彩则是生活这部戏剧的对白，画布则成为这位艺术家展示激情的舞台。

一天，他意识到另一位画家魏尔玛·朗汉玛（Wilma Langhamer）的心中也有着同样的激情，后者在 1978 年成为他的妻子。他们怀着伟大的梦想搬到了德克萨斯州的中心。生活是那么的美好，这两位艺术家都创作了大量的作品，直到 1988 年，卡尔的生活永远地改变了。

卡尔被确诊得了帕金森氏综合征。这个疾病给他和魏尔玛的未来蒙上了一层阴影，甚至可能会夺去他们赖以生存的一切。但是对卡尔来说，改变并不意味着不再成功。正如意料的那样，卡尔说话越来越困难，行走能力也急剧地下降了。但是色彩和戏剧仍然活跃在他的眼前，驱使他日复一日地在画布上工作。虽然未来很不确定，但是卡尔还是尽可能长时间地作画。

有一段时间，他感觉自己好像是在流沙中游泳，他的身体成为他生活中最大的障碍。这种困难并不是最近才出现的。这位画家想起早些年还没被确诊患了帕金森氏综合征之前的时候就已经出现过身体僵硬的症状（帕金森氏综合征的特点之一）。卡尔曾经以顽强的意志克服了身体的障碍。他强撑着病体高速作画，他在1990年到1995年间创作了超过1500件作品。

虽然传统的药物在病情刚开始的时候还有一些帮助，但是到了20世纪90年代中期，这位画家虽然从未停止绘画，但是他已经不得不在轮椅上生活了。1999年夏天，卡尔来咨询我营养补充对他是否会有帮助，在我的建议下，卡尔开始服用一种强效抗氧化物质和矿物质药片，同时服用了高剂量的葡萄籽精华素和辅酶Q10。

6个月后，卡尔发现自己舌头的活动能力有所恢复，而且已经可以站起来稍微走动一下了。我决定增加葡萄籽精华素的用量。他回复说现在已经可以每天起来走动20次了。物理疗法也起到了帮助，他的整体力量已经开始恢复。最让卡尔兴奋的事情莫过于能够继续绘画了。在他作画的时候，他会忘记自己得了帕金森氏综合征，至少会忘记一段时间。

多数人都认为帕金森氏综合征是艺术家最可怕的敌人，因为它会严重影响肌肉的活动。但是卡尔还是能在一些全国最具挑战性的艺术展上展示自己的作品。2000年9月，他获得了密苏里州堪萨斯市最负盛名的Plaza Art Fair艺术展2-D Mixed Media组第一名。在2001年3月休士顿渠水城市艺术节上，他又获得了最佳2-D Mixed Media奖项。

为了庆贺卡尔80岁生日，麦克阿兰国际博物馆（McAllen International

Museum) 馆长弗农·威克拜曲尔 (Vernon Weckbacher) 写到:"卡尔,你能从平凡的事物中看到美丽和深思,你通过自己的作品向我们展示了你对周遭事物独到的看法。"

作为一个普通人,我敬畏于卡尔通过艺术向我们展示的美,作为一个医生,我惊讶于他竟然还能作画这一事实,更不要说他还能够与艺术媒体沟通和以最高的创作水平参加比赛了。

"人们对他的作品反响很大,"卡尔的妻子魏尔玛说道,"这就是他的生活目标。当他沉浸在工作中的时候,帕金森氏综合征似乎暂时远离了他。剩下的只有他和绘画。"

对卡尔帮助最大的不仅仅是他的妻子,他的恢复也证明了营养药物的功效。今天,卡尔·莫奈的传奇仍在继续。

[氧化压力与大脑]

你有没有思考过自己的思考能力呢? 思考与思考有关的东西——这也是一个概念! 当你搜索自己的记忆库,回想起栩栩如生的童年经历或者与家人度过的特殊时刻时,你有没有诧异过自己为什么还能记得那些小小的细节? 现在请你停止阅读一会儿,看看窗外。你有没有惊讶地思考过自己的双眼为什么能够看到丰富的色彩? 只有上帝创造出来的神奇的大脑才使得这一切变为可能。

大脑是我们最宝贵的器官,因为没有它完善的功能,我们人类就仅仅能够存在,而无法与我们周围的世界沟通。我的母亲死于一种恶性脑瘤,这种病影响了她的语言理解和表达能力。这是我生命中最伤心的时刻,因为她无法理解我们所说的话。当我们告诉她我们爱她时,我们得到的回复只是她空洞的眼神。她自己的语言也变得支离破碎毫无意义。不用说,保护自己的大脑是最重要的事情。

现在你已经不会感到奇怪,甚至大脑(神经系统中枢)和我们的神经（外围神经系统）也受着氧化压力的威胁。各种与这一共同敌人有关的疾病都可能破坏我们的大脑和神经，这些疾病被称为神经退行性疾病。其中包括阿滋海默症、帕金森氏综合征、ALS（葛雷克氏病）、多发性硬化症和亨汀顿氏舞蹈症。大脑和神经之所以会受氧化压力影响主要由于以下几个原因：

· 由于自身的大小，大脑有更多的氧化活动发生，因此会产生大量的自由基。

· 形成神经指令的各种化学成分的正常活动也是产生自由基的主要原因。

· 大脑和神经组织中的抗氧化物质相对较少。

· 中枢神经系统是由无数不可复制的细胞构成的。这就意味着一旦它们被破坏，就很可能终生丧失功能。

· 大脑和神经系统很容易受到破坏。某个重要区域的少量损伤就可能导致严重的问题。

大脑是人体最重要的器官。如果大脑被破坏，我们的思想、情感和我们对外界的推理和沟通能力都会受到威胁。我们怎样才能最好地保护这个最宝贵的部件呢？这不仅仅是预防神经退行性疾病的问题，最重要的是要保护我们思考和推理能力的问题。

[大脑的老化]

氧化压力是老化过程的主要原因。没有什么比大脑的老化更能证明这一观点的了。一些科学研究已经证明了脑细胞线粒体（细胞能量来源）和DNA的氧化损伤。这会导致这些非常敏感的脑细胞机能不良甚至死亡。正如我已经指出的，脑细胞没有再造的能力。所以在我们的生命过程中，当我们由于氧化压力而失去越来越多的脑细胞时，我们的大脑就无法再像年轻时那么好使了。用医学术语来说，这会导致所谓的失智。用外行话来说，就是我们会失去思考或推理的能力。因此，氧化压力对我们敏感的脑细胞的损伤是我们大脑功能最大的敌人。

大脑的老化实际上是这些身体最重要的细胞退化的第一步。就像我们不会突然患上其他退行性疾病一样，没有人会在某天起床时突然患上阿滋海默症或者帕金森氏综合征。这些疾病都是大脑氧化损伤的末期表现。它们只是大脑开始老化以后的某种延续。当最终有足够数量的脑细胞被破坏之后，疾病才会出现。

当病人刚被确诊为帕金森氏综合征时，大脑中被称为黑质的一个特定部位已经有超过80%的脑细胞被破坏。阿滋海默症患者也是如此。这些神经退行性疾病实际上已经发展了十到二十年。

让我们逐一分析一下其中的一些疾病吧。

阿滋海默症

阿滋海默症影响着200多万美国人，而且已经成为人们被送往养老院的主要原因。阿滋海默症患者不仅不知道身处何时，而且连自己的家人也认不出来了。

没有什么比丧失思考能力更可怕的事了。任何一个家人得过阿滋海默症的人都会理解这是怎样悲痛的一件事。如果你深爱着的人得了阿滋海默症，你会深深地体会到最重要的是生活的质量，而不是大多数人所关心的生命的数量。

我在职业生涯中治疗过上千名阿滋海默症患者。我看到他们的生命中有10到15年的时间从精神上是完全隔绝于家人和朋友之外的。就在我撰写这一章的时候，前任总统罗纳得·里根（Ronald Reagan）正在"庆祝"他的91岁生日。可悲的是，新闻媒体报道说他已经有十年多没有发表过公众演讲了。另一个生日的到来对那些阿滋海默症患者和他们的家人来说只是一件没有任何意义而且非常痛苦的事情。

大量的研究已经为我们提供了证据，清楚地证明了自由基的破坏是阿滋海默症的根本原因。凯斯西储大学（Case Western Reserve University）的研究者们最近的发现指出随着年龄的增长，氧化压力的加大最有可能导致阿滋海默症的各种表现。有力的证据是阿滋海默症患者的大脑中明显缺少抗氧化物质，而且含有大量的氧化压力。

现在人们已经开始对补充抗氧化物质能否治疗阿滋海默症患者产生了浓厚的兴趣。1997年4月《新英格兰医学杂志》报道了一项研究证明，高剂量的维生素E可以明显减缓阿滋海默症病情的发展。每天补充2000国际单位维生素E的中度阿滋海默症患者与服用安慰剂的对照组的病人相比，可以在家里多待两到三年的时间。

我们不难设想无论少住多少天的养老院会为每个家庭节约多少开支（更别说心灵上的平静了）。其他一些对阿滋海默症患者使用各种抗氧化剂，例如维生素C、维生素A、维生素E、锌、硒和芸香苷（一种生物类黄酮抗氧化剂）的临床实验结果也很乐观。

帕金森氏综合征

弯腰弓背，行动迟缓，身体僵硬和由于"挫丸样"颤动而导致双手前后搓动都是帕金森氏综合征的特征。穆罕默德·阿里（Muhammad Ali)在公众场合的表现让我们更加清楚地认识到这种令人虚弱的疾病的症状。正是这些负担才使得我们对卡尔的故事那么感兴趣。令人不可置信的是卡尔的病情远比阿里严重，而他竟然还能作画。

各种研究结果都认为自由基是帕金森氏综合征的根本原因。大脑黑质区脑细胞实质性的坏死（大约80%）会导致多巴胺分泌不足，而多巴胺是大脑正常工作所必须的物质。

研究显示早期帕金森氏综合征患者可以通过服用高剂量维生素C和维生素E来缓解病情的发展。与对照组病人相比较，他们甚至可以有大约两年的时间不需服用任何药物来控制这种疾病。谷光甘肽和N-乙酰-L-半胱氨酸(均为抗氧化物质)也能有效地保护黑质区的神经免受氧化压力的进一步伤害。

多发性硬化症

多发性硬化症影响着大约 25 万美国人，其中女性发病率大约是男性的 2 倍。与阿滋海默症和帕金森氏综合征的实质性脑细胞损伤不同，这种失调只是影响了髓鞘（神经周围的绝缘体）。髓鞘的剥离也就是所谓的脱髓鞘会导致神经机能损伤。这就像电线由于外层的绝缘体脱落而导致的短路，而这也是出现多发性硬化症临床症状的原因。

利文（S. M. LeVine）医生在 1992 年提出髓鞘中大量的一羟基自由基导致了多发性硬化症。其他研究者们也证明急性发作期内的多发性硬化症患者体内的氧化压力远远高于稳定期的病人。

多发性硬化症与其他神经退行性疾病的不同在于中枢神经系统和外围神经的损伤是由自身免疫系统而不是外界毒素所导致的。当人体自身的免疫系统开始攻击髓鞘时，就会产生能损伤神经的氧化压力。

多发性硬化症对细胞营养的反应特别的好。我深信，与阿滋海默症和帕金森氏综合征脑细胞不可逆转的损伤不同，我们的身体的确有可能修复髓鞘的损伤。给多发性硬化症患者补充强效抗氧化剂是非常重要的。

在减缓甚至扭转帕金森氏综合征、多发性硬化症或者阿滋海默症的过程中，我们还远远没有发挥出抗氧化物质的最大功效。这是真的，原因主要有以下几个：首先，正如我已经说过的，当医生已经能够确诊病人患了阿滋海默症或帕金森氏综合征的时候，大脑中已经有大量的细胞受损。我们开始治疗的时候已经太晚了。其次，如果我们要成功地降低或者减缓神经退行性疾病的发展，我们必须对能够突破脑血屏障的抗氧化物质进行深入的研究。第三，对于像多发性硬化症这样的患者，我们还需要使用同时能有效地进入大脑和神经中的抗氧化物质。研究者们还没有开始对能够顺利通过所谓脑血屏障的抗氧化物质进行研究。

[脑血屏障]

大脑需要一道能隔离血液的屏障来实现复杂的神经指令的传输。脑血屏障实际上就是穿过大脑的小动脉血管中一道厚厚的上皮细胞层。这道皮层非常紧密，因此营养成分很难穿越皮层进入脑细胞。

大脑需要的重要的营养成分实际上含有特殊的蛋白，使它们能够穿越这道屏障。同时有毒物质、感染性的生命体和多数其他营养成分都很难突破这道屏障。这使大脑处于相对独立的状态，只有最必需的营养成分才能进入。就像中世纪的城堡一样，四面环水，高墙耸立，唯一的入口只是一道草桥，因此我们的大脑也能很好地避免来自外界的危险。上帝为保护我们身体最敏感的区域创造了这一神奇的防御屏障。

但是你会开始好奇，当大脑老化或者出现神经退行性疾病的时候又会如何呢？

特拉维夫市（Tel Aviv）拉宾医学中心（Rabin Medical Center）指出，由于当今环境污染的结果，大脑面对着明显增多的毒素，例如重金属，以及因此而产生的氧化压力。我们身体的抗氧化防御系统已经不再能够胜任保护这一重要器官的使命了。他们相信更多的抗氧化物质，尤其是通过营养补充提供的抗氧化物质可能减少或者甚至有可能预防过大的氧化压力带来的破坏。但是他们也提醒我们这些抗氧化物质必须是已经能够突破脑血屏障的抗氧化物质。

让我们来分析一下各种可以保护这些敏感细胞的重要的抗氧化物质，以及它们穿越脑血屏障的能力吧。

[大脑所需的抗氧化物质]

维生素 E
维生素 E 是一种脂溶性抗氧化物质，因此对于保护大脑和外围神经细胞非常重要。维生素E能够穿越脑血屏障，但是不那么容易。研究者们必须补充大剂量的维生素E才能增加身体这一区域的维生素E含量。因此，维生素E的确是一种非常重要的保护脑细胞的抗氧化物质，但是在这种情况下可能并非是最佳选择。

维生素C

维生素C可以聚集在大脑和神经周围的组织和液体中。它能够通过脑血屏障，而且这些组织中的维生素C含量是血浆中维生素C含量的10倍。当你想起维生素C不仅自身就是一种优秀的抗氧化物质，而且它还能使维生素E和谷光甘肽再生时，维生素C就成为保护大脑和神经细胞的一种非常重要的营养成分。

莫里斯（M. C. Morris）医生在一项研究中指出，给年过65岁的普通病人补充维生素C和维生素E确实可以减少他们患上阿滋海默症的可能性。这只是一项小型的研究，我们还需要进行更大型更主动的研究。

谷光甘肽

谷光甘肽是大脑和神经细胞最重要的抗氧化物质。但是这种营养成分很难通过口服方式吸收，而且我们还不是很清楚它是否能够穿越脑血屏障。一些研究采用了静脉注射的方式补充谷光甘肽，结果显示这种方法能显著改善帕金森氏综合征患者的状况；但是只有少量病人参与了这些研究。在这种情况下要补充这种营养成分最好的方法还是为身体提供适当的营养成分（N-乙酰-L半胱氨酸、叶酸、硒和维生素B_2），使我们的身体能自行生成谷光甘肽。你还要知道别的抗氧化物质（维生素C、硫辛酸和辅酶Q10）也能再生谷光甘肽而被反复利用。

硫辛酸

医疗界越来越意识到硫辛酸是一种重要的抗氧化物质。它不仅既能溶于水也能溶于脂肪，而且它还能够顺利地通过脑血屏障。它还能够使维生素 C、维生素 E、细胞内的谷光甘肽和辅酶 Q10 再生。

硫辛酸另外一个重要的特点就是它能吸附大脑内的有害金属从而帮助身体把它们排出体外。诸如汞、铝、镉和铅等重金属已被证明可能增加我们患上神经退行性疾病的可能性。这些金属容易积蓄在脑组织中，因为身体的这个部位含有大量的脂肪。这些金属可以产生大量的氧化压力，而且一旦进入中枢神经系统就很难被清除。既能有效中和自由基又能清除这些有毒重金属的抗氧化物质在这些疾病的预防和治疗中的地位日益突出。

补充一句，我相信避免使用含铝的除臭剂和厨具是非常明智的。当你发现重金属的确可以增加身体的氧化压力之后，你肯定愿意尽量避免接触它们。

过去几年中我们屡屡听说汞的毒性和它可以对大脑造成严重的伤害，我同意这种说法。我建议所有人，尤其是儿童，应该尽量避免采用汞合金作为齿槽填充物。如果你咨询你的牙医有没有除了汞合金以外的填充物，他肯定会有更安全的选择。（不过不必急于去清除你那些已经装好的汞合金填充物。因为如果处理不当，它可能会带来更大的危害，还不如不管它们。）

辅酶 Q10

你还记得吗，辅酶 Q10 是一种非常有效的抗氧化物质，也是细胞产生能量所需的最重要的营养成分。临床研究显示线粒体（这就是辅酶 Q10 发挥作用的地方）中的氧化损伤是导致神经退行性疾病重要的原因之一。

随着我们年龄的增长，我们大脑和神经细胞中的辅酶 Q10 会明显减少。辅酶 Q10 正是阿滋海默症和帕金森氏综合征这类疾病预防中缺失的一环，但是我们还需要对此做进一步的研究。我们尚不清楚辅酶 Q10 能否顺利地通过脑血屏障。

葡萄籽精华素

研究显示葡萄籽精华素可以非常容易地穿越脑血屏障。它是一种特别有效的抗氧化物质,而且它能高度聚集在大脑和神经组织的液体和细胞中,这一特性使它成为大脑最理想的抗氧化物质。我的经验显示这种营养成分在我治疗神经退行性疾病患者的过程中扮演着主要的角色而且取得了惊人的疗效。我相信它是这些疾病治疗过程中最重要的优化剂。它也肯定是研究者们在这些疾病的研究过程中所要深入了解的抗氧化物质之一。

[保护我们最珍贵的财产]

每个人都希望能够维持和保护他们的推理和思考能力。事实上我的病人们最担心的可能就是会失去这种能力。当人们总是忘记自己的钥匙放在哪里,又或者总是想不起邻居的名字时,经常会跑到我的办公室来,担心自己是不是患了阿滋海默症。

随着我们年龄的增长,我们总会在某个时候产生这种忧虑。我并不惧怕死亡,因为我相信耶稣:脱离我们的躯体只是为了能够去到上帝的身边。但是在从医30多年而且看到过那么多残疾的病人之后,我的确总在不断地担心自己的灵魂会不会被囚禁在自己的躯体内。我的一些阿滋海默症患者已经十几年无法认出自己的配偶或者孩子了,但是他们的身体总体上来说却是很健康的。你只要去养老院走一走就会理解我为什么会那么担心了。

在保护脑细胞不受我们共同的敌人——氧化压力伤害的时候,优化我们天然的抗氧化防御系统这一原则是极为重要的。要记住,我们必须着眼于预防和保护,因为一旦某个脑细胞死亡,它就不可能再被替代。

要减少罹患这些严重致残疾病的可能性,我们必须时刻记住这两个重要的观念:首先,我们必须同时选用多种能顺利穿越脑血屏障的抗氧化剂。其次,我们还应尽量避免接触我提到过的任何一种重金属和环境中的其他毒素。平衡就是关键,我们必须尽可能地减少接触毒素的机会,同时还要强化我们自身天然的防御系统。

我相信我在第17章中介绍的细胞营养方案能够帮助人们实现保护和维持大脑健康的目标。如果你已经在为自己记忆力的下降而担心，又或者你有严重的阿滋海默症家族史，你还应该额外补充一些我称之为优化剂的营养成分。这是一些已知能穿越脑血屏障的抗氧化物质，例如葡萄籽精华素。详细的介绍请看第17章。

[罗斯的故事]

罗斯是一个牛仔，看上去就像刚从经典西部片中走出来的一样。他对马匹的热爱使他热衷于戴上手套参加圈马运动。而且他的技术非常好。西部的选手们看到罗斯骑马步入竞技场时都会感到敬畏——他们都了解他顽强竞争的个性。

许多年来，罗斯都是最优秀的选手之一。他曾在南达科他州赌金赛中包揽了全场。但是几年后，他注意到自己的腿部开始出现麻痹。开始他并不是很担心，但是麻痹渐渐蔓延到他的髋部甚至后背。这个牛仔终于决定去看医生了，经过许多许多次的检测，他被确诊为患上了多发性硬化症。

罗斯深受打击。我不知道牛仔是不是也会哭泣，但是他们的确是很顽强的人。这位圈马手并没有放弃。他会勉强骑到马上，在下身没有知觉的情况下坚持参加圈马运动的团队比赛。罗斯现在承认这可能并不是什么明智的举动，因为他在马鞍上的平衡感已经明显下降了，但是他还是得生活，而圈马就是他生活的全部。

罗斯大约就是在这个时候开始寻找其他方法来治疗他的多发性硬化症的。他在当地的一次会议中听到了我的演讲，并且很快开始服用我为多发性硬化症患者推荐的营养补充方案。几个月后，他开始感觉好些了，他腿部的麻痹和虚弱开始好转。

大约3年后的今天，罗斯相信自己已经完全康复了。他腿部肌肉力量已经恢复正常，而且他的大腿、脚部和后背都已经完全没有麻痹的现象了。他又返回了赛场，而且重新在马鞍上找到了安全感。毫无疑问，当罗斯重返牛仔竞技场的时候，他的圈马对手们又感到了压力。

※　　※　　※　　※　　※

我亲眼目睹过许多多发性硬化症患者近乎奇迹般的康复。我自己也曾使一些多发性硬化症患者摆脱了轮椅开始行走，而我其他一些多发性硬化症病人通过营养补充稳定了病情。

大家都认同多发性硬化症是一种神经退行性疾病；但是它也是一种能够通过增强免疫系统来治疗的免疫性疾病。事实上医生们现在正在使用能改善免疫反应的Betaserone和Avonex（实际上是一种干扰素）来治疗这种疾病。补充强效的抗氧化物质、矿物质、辅酶Q10、葡萄籽精华素和必需脂肪酸也能起到基本相同的作用，更重要的是，它们完全没有任何毒副作用。另外，我还坚持鼓励病人们在补充营养的同时继续服用医生们开的药物。其中一些多发性硬化症患者的好转的确非常明显，所以他们能去咨询他们的医生是否可以停服那些药物。

很明显，大脑和神经功能正常是我们身体健康必不可缺的部分，而我们现在已经意识到我们身体这个中心部分的主要敌人就是氧化压力。由于大脑和神经细胞很难再生，所以最为重要的一点就是我们必须时刻把保护这些敏感细胞不受伤害放在第一位。

我们能否通过饮食补充能顺利地穿越脑血屏障的强效抗氧化物质来有效地保护我们不受这些可怕疾病的危害呢？要对此进行彻底的研究将会需要许多年的时间。但是我相信医疗界已经有足够的证据来建议我的病人们选择健康的饮食和补充最佳水平的抗氧化物质。这种搭配只会有百利而无一害！

第 14 章　糖尿病

注意！千万不要跳过这一章——即使你从未被诊断为糖尿病患者。

糖尿病是当今最普遍的疾病之一。在过去的35年间，工业化国家中糖尿病患者的数量已经增加了5倍。据估计，仅在美国每年用于治疗糖尿病和相关问题的开支就达1500亿美元。大约1600万美国人患有糖尿病，但是最让人惊讶的是其中有将近一半的患者并不知道他们自己有糖尿病。所以就算是那些"非糖尿病患者"也必须阅读这一章的内容。

虽然糖尿病本身就已经是个很大的问题，但是这种疾病带来的副作用同样的严重。例如，新出现的晚期肾病病例中有三分之一是由糖尿病导致的。每5名糖尿病患者中有4名最终死亡——不是死于糖尿病，而是由于糖尿病所诱发的心血管疾病（心脏病发作、中风或外围血管疾病）。你知道吗，成年人眼球摘除和失明的最大原因就是糖尿病。

糖尿病已经成为流行病。其中超过90%的病例都属于Ⅱ型糖尿病（以前称为成人发病型糖尿病），我们必须对此进行深刻的检讨！Ⅰ型糖尿病原名青少年型糖尿病。这种糖尿病通常发生在儿童身上，原因是由于胰腺受到免疫攻击。这种攻击使得这些孩子们缺乏胰岛素，因此必须服用胰岛素才能生存。但是我在本章中将把注意力放在Ⅱ型糖尿病上，因为正是这种类型的糖尿病正在发展为流行病。为什么得这种疾病的患者人数会如此激增呢？我们有没有什么方法自行降低得糖尿病的风险呢？

当然有。

[乔刚来的时候]

乔来我的办公室做常规体检的时候只有41岁。他当时感觉良好，没有任何不适。他只是觉得好些年没体检过了，所以有必要彻底查一下。在预约的体检过程中，我们抽了一点血。

由于乔当时自我感觉那么好，所以当我看到化验员向我展示乔的血样时，我吃惊了，而且开始担心起来。这些血液看起来是粉红色而不是正常的红色。当化验员把血样放进离心机旋转分离之后，样本上层部分看上去就像奶油一样（证明里面全是脂肪）。化验报告显示乔的胆固醇指标为250，其中HDL胆固醇是31，而他的甘油三酸酯竟然高达1208。

甘油三酸酯的正常指标应该在150以下，而且甘油三酸酯与HDL胆固醇的比例应该在2以下。但是乔的比例已经接近40了！虽然他的快速血糖测试水平仍然正常，但是我们很快就发现乔已经有了糖尿病的早期症状——X综合征。

[X综合征会致命吗？]

与乔一样，大多数人从来都没听说过X综合征，但是他们的确有必要了解一下。杰拉尔德·里文斯（Gerald Reavens）医生是斯坦福大学的一名教授，他用这样的词语来形容X综合征，认为X综合征是一连串由同一原因——胰岛素阻抗——所导致的问题。通过医学研究，里文斯医生估计美国大约有8000万成年人患有X综合征。

让我们先来分析一下X综合征的共同原因吧，也就是说为什么我们的身体会开始抵抗胰岛素。

什么是胰岛素阻抗？

美国人总是追求高碳水化合物低脂肪的食谱，但是实际上多数美国人还是吃着既高碳水化合物又高脂肪的食谱。多年的饮食已经开始发挥作用了，因此我们中有许多人已经开始对我们自己分泌的胰岛素不再敏感。胰岛素实际上是一种囤积脂肪的荷尔蒙，它能使糖分进入细胞而被消耗掉或者以脂肪的形式储存起来。我们的身体需要控制血糖浓度。因此，当身体开始对自己分泌的胰岛素不再敏感时，就会分泌更多的胰岛素来进行弥补。换句话说，我们的身体为了应付血糖浓度增高的情况，会强制胰腺的 beta cell 细胞分泌更多的胰岛素来控制血糖浓度。

年复一年，那些已经出现胰岛素阻抗的人为了使血糖浓度恢复正常会需要越来越多的胰岛素。虽然这些高胰岛素浓度（胰岛素过高症）的确可以有效地控制我们的血糖浓度，但是它们也会带来一些严重的问题。我在下面列出了一些高胰岛素浓度可能带来的害处。这些问题也正是杰拉尔德·里文斯医生所归述为 X 综合征的症状：

· 严重的动脉炎症，可能导致心脏病发作或中风
· 血压升高（高血压）
· 甘油三酸酯升高——血液中除胆固醇以外的另一种脂肪
· HDL（好的）胆固醇降低
· LDL（不好的）胆固醇升高
· 血粘度升高，形成血凝块
· 出现明显的"无法控制"的肥胖——通常出现在身体中段（被称为中央肥胖）

当所有这些X综合征的因素结合在一起的时候，我们得心脏病的可

能性已经增加了20倍。由于心脏病是当今工业化国家中的头号杀手，所以我们绝对不能忽视任何心脏病增加的可能性！

当病人得了X综合征多年以后（甚至有可能是十几二十年），胰腺的beta cell细胞已经被耗尽而无法再生产如此大量的胰岛素了。这时，胰岛素浓度就开始下降，而血糖浓度开始上升。

刚开始的时候血糖浓度可能只有轻微的升高，这就是所谓的葡萄糖不耐受（或称糖尿病潜伏期）。在美国，有超过2400万人都处于这种葡萄糖不耐受期。然后，大约在一两年之间，如果病人还不改变生活习惯，就会出现典型的糖尿病症状。血糖浓度急剧升高还会加速动脉血管的老化。

胰岛素阻抗产生的原因是什么？

我们这些年来对自己分泌的胰岛素为什么会越来越不敏感，对此有一些理论提出了各种各样的解释。但是我真的相信胰岛素阻抗是由西方的饮食习惯所导致的。虽然我们着力于减少脂肪的摄取，但是我们还是那么热爱碳水化合物。许多美国人并不完全理解，其实碳水化合物只不过是一些能被身体以不同速度吸收的多糖。你知道吗？白面包、精面粉、意大利面、大米和土豆向血液释放糖的速度甚至比方糖还快。这是真的。这也是为什么我们会把这种食物称为高血糖指数食物的原因。

另一方面，像青豆、芽甘蓝、西红柿、苹果和橙子这样的食物向血液中释放糖的速度要慢得多，因此被认为是低血糖指数食物。

美国人总喜欢吃大量的高血糖指数食物，因此会使血糖浓度快速升高，从而刺激胰岛素的分泌。当血糖浓度下降时，就会感到饥饿，因此会再吃几口或者再去吃上一顿大餐，然后整个过程又会重新开始。一段时间之后，由于胰岛素反复超高，身体就开始对它越来越不敏感。为了让身体能够控制血糖浓度，胰腺必须输出更多的胰岛素。而这些增高的胰岛素浓度就会导致与X综合征相关的破坏性的代谢改变。

[如何判断自己是否得了 X 综合征？]

　　大多数医生都不会在常规血液检查中检测病人的胰岛素水平。但是你还是有一个简便的（虽然不太直接）方法来判断自己是否得了 X 综合征或者胰岛素阻抗。当你做血液检查时，你通常会拿到一份脂肪含量报告，其中包括总胆固醇、HDL（好的）胆固醇、LDL（不好的）胆固醇和甘油三酸酯（血液中的另一种脂肪）的含量。多数人都知道用总胆固醇含量除以HDL胆固醇含量得到的比率。但是如果你拿甘油三酸酯含量除以HDL胆固醇含量，得到的比率就能体现你是否有这些问题。如果这个比率大于 2，你可能刚开始得 X 综合征，如果你注意到自己的血压或者腰围已经开始增加，那么这可能意味着你的 X 综合征已经很严重了。

　　让我们举例说明一下如何去做这种简便的测试吧。假设你的甘油三酸酯含量是 210，而 HDL 胆固醇含量是 30。那么用 210 除以 30 等于 7。由于这个数据已经明显大于 2，所以你可以认定自己已经有早期胰岛素阻抗或者 X 综合征的征兆了。

　　一旦病人开始出现胰岛素阻抗，医生就会建议和支持他改变生活习惯，因为正如我已经指出的，这意味着心血管的损伤已经开始了。因此，医生们应该更加清醒地认识到通过甘油三酸酯/HDL胆固醇比率得出的早期胰岛素阻抗的征兆。我们绝对不能总是等到病人得了典型的糖尿病才开始进行治疗。

　　当病人开始通过简单而有效的改变生活习惯这一方法来治疗他的胰岛素阻抗时，他不仅能够防止并发的动脉血管损伤，而且还可以预防糖尿病。这才是真正意义上的预防药物。是健康的生活方式而不是医生们开的药物，这就是区别所在。

　　毫无疑问，我相信医生们治疗糖尿病时是过于依赖药物了。大多数医生都赞同调节饮食和合理锻炼对糖尿病病人有帮助，但是我们从没花过足够的时间去帮助他们理解只有这些习惯才是抵御这种疾病的各种并发症的最好的方法。

我意识到开处方比教育和敦促病人去改变这些关键锻炼和营养习惯容易得多。但是如果我们不那么依赖于药物的话，糖尿病其实能够得到更好的控制。甚至那些来我办公室拜访的制药公司的销售代表们也同意，含有低血糖指数食物的高纤维素饮食非常有效。但是他们总是假定这些病人通常都不会这样去改变自己的饮食，所以必须使用药物。

但是这并不是我亲眼所见的。在我的从医过程中，绝大多数的病人宁可改变自己的生活习惯也不愿意去吃更多的药物，不过这很大程度上取决于医生的态度和方法。因此，当我花些时间去向病人解释这一切然后问他们希望怎么办的时候，超过90%的病人回答说他们宁可先试着改变自己的生活习惯。

乔就为我们证明了这种方法的确是有效的。

[乔是如何战胜 X 综合征的]

乔看到了自己的化验结果以后非常担心，而且非常期望立即改变自己的生活习惯。我们让他进行中度的体育锻炼，改用低血糖指数的食谱，并且服用一些抗氧化物和矿物质营养补充。12 个星期以后，我对乔的血液进行了复查，发现他的情况出现了惊人的好转：他的胆固醇含量已经从 250 降到 150，HDL 胆固醇从 10 增加到 41，而他的甘油三酸酯含量从 1208 骤减到 102。他的甘油三酸酯／HDL 比率已经从 40 降低到 2.5。乔没有服用任何药物就做到了这一点，而且还是在 12 个星期之内。我和他都为此惊喜不已。

如果你与乔有着类似的健康问题，你也可以通过同样的生活习惯和饮食调整取得相同的效果。X 综合征和它致命的并发症都是可以被攻克的。

现在让我们来看一下那些已经发展得比较典型的糖尿病，以及如何去逆转它给我们身体带来的创伤吧。

[糖尿病的诊断和检测]

最常见的糖尿病检测技术就是快速血糖检测,就像我给乔做的那种测试。医生们还会采用一种糖敏感测试,让病人服用一种糖水(就像普通的含糖饮料一样的液体),然后在两个小时后检测病人的血糖浓度。

多数医生认为如果两个小时后血糖浓度高于190(确定值是高于200)就有必要诊断是否患了糖尿病。正常的两小时血糖浓度应该低于110而且确定低于130。(快速血糖浓度略高而且两小时血糖浓度在130到190之间的病人被归为葡萄糖不耐受——糖尿病早期——而不是典型的糖尿病。)

由于血糖测试手段只能显示病人在一个特定时刻的状态,所以另一项有效的测试是血色素A1C检测,它能显示血红细胞中的含糖量。(我希望糖尿病或有糖尿病趋势的患者每4到6个月做一次这种检测。)由于血红细胞在我们体内能够存活大约140天,所以这项检测才能更好地显示病人的糖尿病是否真正得到了控制。多数化验室认为正常的血色素A1C检测值应该在3.5到5.7之间。

糖尿病患者的目标应该是严格控制,使血色素A1C指标保持在6.5%以下。如果病人能够做到这一点,那么他们出现并发症的可能性就不超过3%。但是如果他们的血色素A1C指标一直大于9%,那么他们出现与糖尿病有关的并发症的可能性就会激增到60%。这个发现是惊人的,尤其是我们已经知道美国已接受过治疗的糖尿病患者的血色素A1C平均指标竟然是9.2。不用说,我们的医疗系统还没有意识到它对糖尿病的意义。

更让人担心的是,当医生确诊一例典型的糖尿病时,大多数(超过60%)的病人已经得了严重的心血管疾病。这使得病人甚至在还没开始治疗之前就已经处在很不利的情况下。是的,一旦胰岛素阻抗开始出现,动脉硬化症(动脉的硬化)就已经开始急剧加重。这也是为什么医生们应该尽早发现病人的X综合征并且鼓励他们改变生活习惯以纠正这一问题。病人在最终发展为糖尿病之前可能会有多年的X综合征病史。等到这个时候才开始治疗、开始挽回损失已经太晚了。

[肥胖]

我们都曾听媒体和医生们说过糖尿病之所以在美国和其他工业化国家中这么盛行是由于太多的人得了肥胖症。实际上并非如此。这些媒体实际上是本末倒置了。实际上是胰岛素阻抗（X综合征）而不是别的原因导致了中央肥胖。事实上肥胖正是这种病症的主要症状之一。

我说的中央肥胖是什么意思呢？这实际上与你身体体重的分布有关。如果体重均匀分布或者是肢端肥胖（梨状）的话，你的确需要减肥，但是如果是与X综合征有关的话，就没有这个必要。然而，如果你的腰部附近积聚了大量的赘肉（像苹果一样），你可能就有麻烦了。

我碰到过许多二三十岁的病人来到我的办公室，抱怨说他们的体重明显超标了。实际上他们的问题在于他们没有改变自己的饮食和运动习惯，所以在过去的两三年中就增加了三四十磅的体重。为什么他们的体重增加得这么快？这通常是由于病人已经开始出现胰岛素阻抗。这些病人已经开始尝试各种食谱，但是却减不了多少体重。这些食谱基本上都是高碳水化合物低脂肪的；这只会让胰岛素阻抗更加严重。如果这些人不解决体重增加的根本原因——胰岛素阻抗——的话，他们根本无法减轻体重。不断坚持参加减肥团体却永远无法像别人那样减肥是多么让人沮丧的事情啊！

我建议我所有的病人都开始重新调整自己的饮食，改吃低血糖指数、低碳水化合物和含有好的蛋白与脂肪的食物（我在本章后面会详细介绍）。当采用这种食谱并配合适度锻炼及细胞营养（见第17章）时，胰岛素阻抗会得到根本性的好转。病人的体重会神奇地下降，就像它神奇地增长一样。我的病人们常常惊讶地发现自己还没有尝试减肥，体重就已经下降了。他们感觉非常良好，而且精力非常充沛。

请注意，我所说的食谱指的并不是那些时尚的减肥食谱。所谓减肥食谱指的是那些想在一段时间内减少摄入的食谱（减得越快越好！）。相反，我所说的是一种健康的生活方式，它的副作用就是减少脂肪。我会与我的病人积极配合大概12个星期，这样他们就会知道到底应该如何把这些原则与他们喜欢吃的东西结合在一起。减轻体重并不是解决问题的方法。消除胰岛素阻抗才是关键。

[糖尿病的治疗]

所有的医生们都认同，我们应该先给病人一个机会，鼓励他们有效地改变自己的生活方式。但是就像我已经说过的那样，许多医生们只是口头说一下应该如何改变，而实际上还是依赖于使用药物来控制这种疾病。

如果我们真要在减少糖尿病发病率方面取得进展，以及帮助现有的糖尿病患者控制他们的病情，我们必须做到以下两点。首先，我们应该

医生们治错了东西

在梅约医院（Mayo Clinic）的一篇评论性文章中，詹姆斯·奥凯弗（James O'Keefe）医生说到："现在治疗糖尿病患者的努力都集中在调节过高的血糖浓度上面，而往往忽视了其他一些由胰岛素阻抗这一根本原因所导致的可逆转的危险。"

这也是为什么80％的糖尿病患者仍会死于心血管疾病的部分原因。我认为治疗大多数糖尿病的根本原因，胰岛素阻抗，才是更好的预防和控制糖尿病的方法。

更加关注胰岛素阻抗，这是绝大多数 II 型糖尿病的病因，而且我们不能仅仅着眼于治疗血糖浓度（见上页框）。其次，我们还应积极鼓励人们改变生活方式来增加胰岛素敏感度。我坚信医生们只应把药物作为治疗 II 型糖尿病的最终措施。

[改变生活方式详解]

许多人仍未意识到要治疗糖尿病和胰岛素阻抗的根本病因所要做出的生活方式上的调整是多么的简单。我们所说的是适当的运动、饮食时不要使血糖骤升，并且服用一些基础的营养补充来改善病人对自己分泌的胰岛素的敏感度。当你同时做了这三种改变之后，正如乔的例子那样，效果会是非常明显的。

让我们来分析一下这三种改变对于胰岛素阻抗的扭转有何帮助吧。

食谱

我认为，太多的医生向糖尿病患者推荐的食谱中存在重大的错误。由于这些病人最大的危险是心血管疾病，所以美国糖尿病协会（ADA）一直主要关心人们食谱中的脂肪含量。因此 ADA 和许多营养师们支持的是一种高碳水化合物低脂肪的食谱。

在过去的 35 年中，糖尿病患者忠实地遵循着 ADA 建议的食谱。20世纪 70 年代中期，80% 的糖尿病患者会死于心血管疾病。而当我们步入新的世纪时，仍有 80% 的糖尿病患者还是会死于心血管疾病。难道这还不足以促使我们警觉，开始重新审视我们的做法吗？

一旦我们意识到我们需要治疗最根本的胰岛素阻抗问题，那么我们就会认识到碳水化合物才是真正的危险。这与那些相信"碳水化合物只是碳水化合物"而其来源无关紧要的营养师们的看法是完全相反的。他们的这种看法完全忽视了血糖指数(即身体以何种速度吸收各种碳水化合物并转化为单糖)。

大量研究显示,一些碳水化合物能够比其他食物更快地释放糖分。碳水化合物的组成越复杂（指那些含有大量纤维的碳水化合物），释放糖分速度就越慢,例如豆类、花椰菜、芽甘蓝和苹果等。在吃了一餐均衡的含有这些低血糖指数碳水化合物和好的蛋白及好的脂肪的食物后,我们的血糖浓度不会激增。这对控制糖尿病是极为关键的。如果饭后血糖不会明显升高——控制糖尿病的主要因素——那么我们就完全不需要通过药物手段把它降下来。

哈佛医学院营养及预防药物部主管华而特·维里特（Walter C. Willett）医生在他编著的《Eat, Drink, and Be Healthy》一书中提议我们应该重新审视美国卫生部建议的食物金字塔结构。最底层应该是低血糖指数的碳水化合物,而高血糖指数的食物（白面包、精面粉、意大利面、大米和土豆）都应与糖分一样处于食物金字塔的顶部。

每个人都知道糖分对糖尿病患者的危害。但是很少人意识到高血糖指数的食物提升血糖的速度甚至比吃糖果还快。当我最终说服我的糖尿病病人改吃低血糖指数的碳水化合物并且搭配食用好的蛋白和好的脂肪时,他们的糖尿病控制取得了惊人的改善,而且他们的身体也变得对自己的胰岛素更加敏感。

基本食谱指导

下面要介绍的是好的脂肪、蛋白质和碳水化合物。当你在每一餐或者每次吃东西的时候都把它们结合在一起的话,那么你的血糖浓度就不会跳升到需要控制的危险水平。

最好的蛋白质和脂肪来自蔬菜和菜油。鳄梨、橄榄油、坚果、豆类、酱油等等都是获取蛋白质的最佳来源,同时还含有实际上能降低胆固醇的脂肪。

最好的碳水化合物来自新鲜完整的水果和蔬菜。尽量不要吃任何处理过的食物。苹果要比苹果汁好。整粒的谷物也是必需的，而且少吃处理过的谷物对于每个人，尤其是糖尿病患者的健康饮食是非常重要的。

另一种好的蛋白和脂肪来自鱼类。冷水鱼类，例如鲭鱼、金枪鱼、鲑鱼和沙丁鱼含有我们在第10章中讨论过的那些脂肪：omega－3脂肪酸。这些脂肪不仅能够降低胆固醇含量，而且可以减少身体中的炎症。

还有一种好的蛋白来自家禽，因为这些鸟类的脂肪分布在肉的表面而不是硬性分布在肉中。虽然这也是饱和脂肪，但是只要把肉表的皮剥去，你还是可以得到不大含有脂肪的纯蛋白食物。

很明显，最差的脂肪和蛋白来自我们的红肉和蛋奶制品。如果你要吃红肉，至少也应该吃最瘦的部分。你也应该避免吃那些除了低脂干酪、牛奶和蛋白以外的蛋奶制品。如果你要吃鸡蛋，就应该挑选那些散养的鸡蛋，其中含有omega－3脂肪酸。

我们可能会吃到的一些最差的脂肪就是所谓反式脂肪酸。这些脂肪被称为腐臭的脂肪（rancid fats），因为它们对我们的身体非常有害。购物的时候一定要随时注意食品标签，如果有类似"部分氢化"的成分——不要买它。

这些就是我对我的糖尿病病人和那些向乔一样有X综合征的病人做出的基本食谱指导。本书的重点使我无法详细介绍我向病人们推荐的食谱。对于那些对食谱和X综合征感兴趣的人，我推荐以下两本书：吉尼和乔斯·道斯特（Gene and Joyce Daoust）编著的《40－30－30 Fat Burning Nutrition》和巴里·西尔斯（Barry Sears）编著的《A week in the Zone》。这些通俗易懂的书籍建议我们采用40－30－30的比例：即建议我们在每一餐中都应按照40%碳水化合物、30%蛋白质和30%脂肪的比例来宏观搭配这些营养成分。我在自己的实践中更倾向于采用50-25-25的比例，不过基本原理是相同的。

这并不是像阿德金食谱（Adkin's diet）那样的高蛋白减肥餐。这是一种你能持续一生的食谱。如果每个人都能这样饮食，同时坚持锻炼并服用一些营养补充，那么糖尿病将不再流行。

当你采用这种饮食方式的时候，你的身体不会加速释放胰岛素，反而会加速释放一种名为胰高血糖素的相反的荷尔蒙。胰高血糖素可以利用脂肪、降低血压、减少甘油三酸酯和LDL胆固醇并且增加HDL胆固醇。这是一种通过吃东西而不是减少卡路里摄取来实现的荷尔蒙控制方法。我告诉他们这种健康的食谱的副作用是减少脂肪。

锻炼

适度的锻炼对我们的健康有莫大的好处。而锻炼对X综合征和糖尿病患者非常重要。为什么？研究显示，锻炼可以明显提高病人对自身胰岛素的敏感程度，因此也是营养师们向糖尿病和有胰岛素阻抗的病人建议的生活方式改变中重要的一部分。

锻炼计划中应该结合有氧运动和负重锻炼，每周至少3次，但不多于5到6次。很重要的一点是人们应该去参加他们自己乐于参加的锻炼计划。没有谁必须成为一名马拉松运动员。即便是每周3次每次30、40分钟的快走也能收到显著的成效。

营养补充

一些临床实验发现糖尿病潜伏期或称葡萄糖不耐受期的病人体内的氧化压力明显增高。这些人体内的抗氧化防御系统往往较弱。另一些研究显示糖尿病并发症患者，例如视网膜（由于糖尿病造成的眼底血管损伤，有可能导致失明）和心血管疾病患者体内的氧化压力更高。从事这些实验的研究人员推断在采用传统的糖尿病治疗方法的同时补充抗氧化物质有可能减少这些并发症。

一些研究显示，所有的抗氧化物质都有可能改善胰岛素阻抗症状。很重要的一点是糖尿病患者应该混合服用数种最佳剂量的抗氧化物质——而不是所谓的 RDA 剂量（见第 17 章）。我在研究和医疗实践中发现，潜伏期和典型糖尿病患者的体内往往会缺少以下几种微量营养成分：

铬是葡萄糖代谢和胰岛素工作中关键的成分，但是研究显示超过90% 的美国人体内都缺乏铬。铬已被证明能明显提高胰岛素敏感度，特别是对于那些体内缺乏这种矿物质的人而言。糖尿病和 X 综合征患者每天应该补充 300 毫克的铬。

维生素 E 不仅能提高抗氧化防御能力，而且看起来可以帮助身体克服胰岛素阻抗。研究显示，维生素 E 水平低下是得了成人发病型糖尿病的一个独立而且有力的预测指标。

Ⅰ型糖尿病、Ⅱ型糖尿病和糖尿病患者视网膜病变的可能性增大均与缺镁有关。研究显示当成年人补充镁的时候，胰岛素功能会明显改善。

不幸的是，诊断病人是否缺镁是非常困难的。通常的血清镁含量检测只是一种衡量体内总体镁含量的手段。细胞层的镁含量会更加敏感和准确；但是只有研究实验室才能做这种检查，医院没有这种设备。因此缺镁很难被检测出来。

钒不是一种为人熟知的矿物，但是它对糖尿病患者非常重要。我们已经证明补充钒可以明显提高胰岛素敏感度。糖尿病患者每天应该补充50~100 毫克的钒。

我惊讶地发现愿意改变饮食习惯、加强锻炼并且服用关键的矿物质和抗氧化物营养补充的病人能在改善身体胰岛素敏感度方面取得那么大的功效。下面就是一个我喜欢与人分享的遵循了这些原则的事例。

[麦特的故事]

麦特一直都梦想着能参加维和部队,他来找我因为这个组织要求他进行体检。检查过程中,麦特抱怨说他经常感到口渴而且经常要去小便。由于他只有23岁,所以他搞不懂为什么自己每天晚上都要去几次厕所。

我对麦特做了一次血糖血液检测,检测结果是590,这是一个非常危险的高度,我立即让他去医院并且开始静脉注射胰岛素。由于这种疗法对他的血糖浓度并没能起到很好的疗效,我咨询了一位内分泌专家。这位专家也无法控制麦特的糖尿病,最后只能给他开出一些自己从没给病人开过的大剂量的胰岛素。有一段时间,麦特的胰岛素注射剂量是每天2次每次90个单位(正常剂量是大约10个单位)。

当麦特的病情最终稳定下来而出院之后,我建议他在继续注射胰岛素的同时应该改变一下生活方式。他同意了,并且的确开始着手实施了,他只吃一些不会使血糖激增的食物并且服用矿物质和抗氧化物药片。麦特的决心很大,并且很好地坚持了这些计划。他的体重开始下降,并且慢慢减少胰岛素的用量了。日复一日,他的身体开始好转了。

离那次体检大概4个月后,麦特又来到我的办公室告诉我他的血糖浓度已经恢复正常了,而且他也不再需要注射胰岛素了。由于知道他的病史,我实在没办法相信他。所以我给他做了快速血糖测试,检测结果是84。我接着给他做了糖敏感测试,让他喝了一杯糖水,过两小时之后再检查他的血糖浓度。检测结果是88——已经属于正常范围。他的血色素A1C化验结果是5.4,也属于正常值。麦特已经不再是糖尿病患者了。

接下来,我在给维和部队写信的时候颇费了一番踌躇,我给他们解释说麦特曾经是必须依靠胰岛素生活的糖尿病患者,但是现在甚至连糖尿病患者也不算了。我很担心这份不同寻常的报告会使麦特失去报名的资格而使他入伍的梦想破灭。但是维和部队对他进行了血液复查并且也认定他不再是糖尿病患者了。

麦特加入了维和部队并在非洲呆了两年。实际上这个组织的确每6

个月就让他飞出丛林去一家医院复查，以确保他的血糖浓度正常。他说要坚持我所建议的均衡的食谱的确是一种挑战，但是通过吃那些能找到的未经处理的谷物，他的健康一直保持得很好。

我有幸在上个月又在办公室里见到了麦特。他现在已经完成了在维和部队的服务，而且血糖浓度一直保持正常。他告诉我他还在坚持我为他设计的保健计划，而他的体重也已经从315磅降到了205磅。他说自打他的血糖恢复到正常水平并且消除了胰岛素阻抗之后，他甚至还没试着去减肥，体重就已经降了下来。

　　　　　　※　　※　　※　　※　　※

我相信许多其他处在危险边缘或者已经发展成为典型糖尿病的人都可以取得类似的身体健康方面的转变。如果你正在与糖尿病作斗争，那么你是否愿意为了减少对药物的依赖和过上更好的生活而去努力改变一下自己的生活方式呢？要记住，你必须控制住自己的糖尿病病情，而且至少要将血色素A1C指标保持在6.5以下。这一点单靠药物是很难做到的。在自己的生活中采用这些原则能够非常有效地帮助你控制病情。在开始调整生活方式的时候，你应该密切注意自己的血糖浓度；如果血糖浓度下降太快，你应该咨询一下你的医生是否可以调整一下你的用药。

正如我早前已经说过的，糖尿病现在已经发展成流行病了。虽然我们在这种疾病上已经花了无数的金钱，但是我们仍然没有收到多少成效。医生和普通人一样都必须改变自己的态度，转而攻击胰岛素阻抗，而不是升高的血糖浓度。当我们出现甘油三酸酯增高，并且伴随着HDL胆固醇下降、高血压或者异常增重的时候，我们应该意识到自己可能已经得了X综合征，而且随之而来的心血管损伤可能已经开始出现了。

我们应该积极地治疗胰岛素阻抗本身，而不是仅仅治疗由胰岛素阻抗所带来的各种疾病。让人惊奇的是，如此简单的生活方式的改变竟然可以带来近乎奇迹的效果：糖尿病的消失。

第15章　慢性疲劳症与肌肉纤维痛

"我实在是太累了——总是如此。我很难集中注意力。我都记不得上次感觉良好是什么时候的事情了。事实上，我有好多事情都记不起来了。我知道自己肯定出了什么毛病。我一点精力也没有，而且什么毛病都会得上。我需要帮助，但是却无从说起。也许是我的甲状腺出问题了吧？——我的家族一向都有甲状腺问题。"

你有没有碰到过这些情况呢？我已经无法告诉你到底有多少人带着这样的抱怨访问我的网站求助，或者来我的办公室了。他们都为这种持续不断的状况而失望和沮丧。我必须说，在我从事私人医疗的30多年间，这就是一些我最常听到的毛病。

在询问病情的时候，医生通常会问："你哪里疼？你有没有其他症状？"然后我们马上开始对可能有的问题进行彻底的思索，试着去找出病人是否有头疼、胸闷或者腹泻这类的症状。病人往往会否认所有这些具体的问题然后叹了一口气说："我只是真的太累了，而且完全没有任何精力。"

当医生们碰到这种情况时，他们通常会建议病人做一次彻底的身体检查，并且做一次综合性的生化检查。等病人下一次来的时候，医生又要复习一遍他的抱怨，然后检查一下病人过去、现在和家族的病史。他会建议病人再做一次体检，然后等数据出来以后，医生会仔细地研究这些实验室数据。偶然间他会发现甲状腺机能衰退、糖尿病、贫血，或者其他一些可能导致这些疲劳症状的证据。但是绝大多数情况下，他无法找出任何能足以解释为什么病人会感觉如此疲劳如此虚弱的理由。

这时，大多数的医生都会开始询问病人最近是否压力过大或者有抑郁的症状。如果这种询问仍然无法给出任何明显的解释的话，空气中就会渐渐充满了紧张的气氛。病人开始意识到医生没有找出任何不妥的地方。而医生可能会私下里认为实际上是病人的精神方面出问题了。当然，这不是一种语言方面的交流，但是没有说出来的真实想法往往会通过生硬的语调和身体语言表达出来。（如果你曾经碰到过类似的情况，你肯定能够完全理解我描述的情况。）

这是怎么回事？医生们希望帮助自己的病人，而他们大多数时候都认为要做到这一点，唯一的方法就是找出病人得了什么病，然后开出处方给予治疗。当他们无法查出病人究竟得了什么病，又或者是无法开出处方的时候，医生们就开始感到不安，觉得心里的压力增大，希望能做出什么解释或采取什么措施来使病人感觉好受一点。医生可能不得不结束这次谈话，站到一旁说道："嗯，你的健康状况真的很良好——我找不出任何问题来解释你的症状。你再等一下吧，看看是否会有好转。"

如果你已经经历过类似的情况，你就会知道自己除了沮丧地转身离开诊室以外没有任何收获了。你在去找医生之前肯定已经等了"足够的时间"了！毫无疑问，你的健康状况肯定不好，而现在医生又查不出任何毛病，甚至连你自己也开始怀疑这是否真的完全是心理方面的问题了。

但是这种沮丧才刚开始。你可能会下定决心按照医生的建议多等一段时间，同时试着去尽一切力量照顾好自己。但是你并没有好转，而且既没有改善也没有恶化。这时你该怎么办？你是否想听听其他人的意见呢？如果你的确去找了别的医生，他很有可能还是找不出任何毛病。你开始对我们的医疗系统产生猜疑和失望。

一方面你很高兴没有人给你查出什么严重的疾病；但是另一方面你也很愤怒，因为没有人能给出什么答案。事实上你会开始感到烦恼并担心情况会恶化。这时，一个好友或者家人告诉你有一个另类医疗从业者真的可以帮助你解决这种问题。

[另类疗法]

当你放弃从医学界寻找解决办法的希望后，你的历程还在继续。你决定寻找一种更天然的途径，另类疗法，因为传统医学已经无能为力了（相反，它可能还会使你感觉更糟！）。让你惊讶的是，另类疗法提供者马上就找到了问题。他可能会声称你有这些症状的原因是因为你得了"全身性酵母菌感染"、"内脏渗漏现象"，又或者是所谓"亚临床甲状腺机能减退"等等。

另类疗法从业者通常会为你做一下毛发检查、眼睛分析、血液分析、尿液检测或者肌肉检查来判断你到底需要什么。然后他们往往会推荐你采用某些草药疗法、清肠法、改变食谱和补充营养来治疗已被诊断出来的问题。

你打心底松了口气并且重燃起希望，因为终于有人听懂了你的话，而且的确能够为这种衰竭给出一种解释，即使这种诊断并不完全正确。虽然你的健康和自我感觉可能会因为生活方式的改变而有所改善，但是你会开始意识到你应该感觉更好一些，而不是仍然"不在状态"。这就是原因所在。另类疗法从业者着重于试着去找出你到底可能缺乏哪些营养成分，然后试着去改善它们。但是他们没有改善根本的原因——氧化压力。你很有可能仍然感觉沮丧，不得不继续翻阅和做任何可能起到帮助的事情。

[免疫性抑郁症]

你有没有听说过"因为不适和疲劳而不适和疲劳"这种说法呢？许多疲劳的人离开医生的诊室时都拿着一张抗抑郁剂的处方。当医生无法找出任何毛病的时候，他会假设病人得了抑郁症。不过我已经发现当病人感觉不适而且没有精力去履行自己的职责时，他们会感到失望并且开始怀疑自己是否还能好转。他们怀疑自己是否还能有精力重新活跃起来。随着时间的流逝，他们的确恶化了——他们开始抑郁了。但是它与你从情感抑郁的抑郁症患者身上看到的抑郁是完全不同的两码事。因此我把这种病人称为"免疫性抑郁症"患者。

人们承受着的过大的氧化压力不仅使我们疲劳，而且还削弱了我们的免疫系统。如果病人服用营养补充使氧化压力得到控制，那么他们不仅会感觉好些，而且他们的身体功能也会开始恢复正常，而这会使他们感觉更加良好。我总是喜欢听到病人来复诊的时候对我说："我已经不再抑郁了。我能够停服别的医生给我开的抗抑郁药了吗？它们其实对我没有任何帮助。"

本书中我已经介绍过的那些非常严重的疾病都是由于长期处在体内氧化压力过大的情况下而最终导致的。人们没有意识到这种持续性的疲劳与那些严重的疾病一样，都是由于同一原因。虽然许多人刚开始的时候不会得什么严重的疾病，但是当他们的身体长期处在氧化压力的破坏之下时，他们会不断虚弱而最终患上某种严重的疾病。

如果我要去人行道上对路过的人们做一次调查来看看到底有多少人感觉自己不在状态（有明显的无法消除的疲劳），我猜这个数字会是惊人的。让我告诉你我在过去 7 年内从营养药物实践过程中所学到的东西。

你不会只在某天起床的时候突然发现自己得了慢性疲劳症或者肌肉纤维痛。那些感觉不适的病人来找我，抱怨说他们感到疲劳、反复感染、睡眠不足、焦虑而且抑郁，并且还有由于氧化压力过大而导致的早期衰退。当我看到某个人的脸的时候就几乎可以判断他是否氧化压力过大。他拉长着脸而且脸色发灰，而且他看起来既没活力也不健康。如果我们不能有效地解决根本的问题，那么这些病人很可能患上慢性疲劳症、肌肉纤维痛，或者甚至是其他更严重的退行性疾病。

我不再把那些疲劳的病人打发出门告诉他们："我没发现你有任何毛病。"我知道这样会导致免疫性抑郁症，而且可能会导致更严重的情况。我现在会尽可能人性化地鼓励人们去检查他们的生活方式和居住环境，清除导致氧化压力过大的原因（见第3章）。让他们考虑自己的生活方式和压力水平是很重要的。他们是否处在过多的毒素中呢？例如二手烟，除草剂、除虫剂和空气污染物等等。我鼓励他们正常休息、开始有规律地锻炼身体和开始采用健康的食谱。然后我会让他们开始服用强效的抗氧化物药片、矿物质药片和一些葡萄籽精华素，并且让他们4到6个星期之后再回来复诊。

与另类疗法从业者不同，我关心的是这些症状的根本原因。我不需要他们做那些昂贵的检测（其中大多数已被证明并不准确），因为我要改变的并不是某种营养成分缺乏的问题——而是氧化压力的根本来源。相反，我会试着去为细胞提供最佳剂量的所有微量营养成分。细胞会决定它自己到底需要哪些，不需要哪些。

与医学界一样，我也发现通过细胞营养使氧化压力得到控制才是重获健康的最佳方法。通过这种方式，我的绝大多数病人都恢复了正常的生活。

跟踪也是非常重要的。有那么多病人回来复诊时表示自己又重新感觉几乎正常，看到这一点，我感觉非常惊喜。他们的好转经常是戏剧化的，这在他们的脸上和肤色上体现得尤为明显。再想一想我在那么多年里曾经只能把这些无望而且无助的病人送出门外！正确的治疗方法一直都在那里。

[朱迪的故事]

朱迪从1990年11月开始出现肌肉纤维痛。她曾经是一个很少得病的人，但是这一年她病得非常厉害，一些类似流感的症状使她的身体痛得那么厉害，以至于她随时都在想是不是该冲去急诊室了。她花了几乎两个星期才完全摆脱了这些病毒。

1991年春季，她在户外院子里工作了一整天。这对她来说不是什么不寻常的事情，但是当她第二天早上醒来的时候，她感觉自己好像搬了3天的家具。她想自己也许是昨天劳累过度了。她完全没有意识到这仅仅是一个开始。

她碰到的下一个问题就是睡眠失调。虽然她尝试了各种办法，例如吃药、少喝咖啡和喝温牛奶等等，但是都完全没有帮助。接下来的4年，她一直在睡眠不足中挣扎着。她还经历了思维紊乱、记忆力下降和视觉障碍等。很快她又出现了关节痛、肩膀里有硬结、头痛和喉咙痛——这些症状在上午的时候特别明显；但是喉咙痛和头痛却是持续不断的问题。她意识到某种非常严重的问题正在影响着她的健康水平。

当她每天早上醒来时都感觉全身僵硬的时候，她知道自己该去看医生了。这时，她每天只能睡三四个小时，而且在这仅有的几个小时中也无法得到放松。她的神经很敏感，任何轻微的噪音和动作都能使她跳起来。

我给她开了一些药，使她在某种程度上能够改善一下睡眠，但是在服用这种药一年之后，她开始出现副作用了。这种药物使她的心跳加速而且导致她情绪极度不稳定，并且经常做噩梦。她相信这种药物弊大于利，所以她决定停服这种药物。

到了朱迪来我这里复诊的时候了。她后来告诉我，当时她很害怕告诉我她已经丢掉了我开给她的那种药物，而决定尝试维生素治疗法了。我一直告诉她如果我们饮食正确就能获得身体所需的所有营养成分。但是让她惊讶的是，我最近对抗氧化物质在治疗方面的作用已经变得更加开通了。我甚至为她制订了一套积极的营养补充计划。

1995年9月，朱迪开始了这套营养补充计划。疗效是惊人的！不到3个星期的时间，她就发现自己的精力明显提升。她不再需要为了第二天熬得住而不得不在晚上8点30分就去睡觉了。而且当她感觉精力更充沛之后不久，她就发现肩胛里疼痛的硬结已经消失了。到了11月的时候，关节和肌肉的疼痛也开始减轻。12月的时候，她做了一次小手术，之后一些症状又很快出现了。但是她增加了抗氧化物质的摄取，而不到两个星期之后，这些症状已经不再是问题了。

1996年3月的时候，她第一次晚上睡了8个小时。她很高兴地发现自己的睡眠结构再次恢复了正常的熟睡。她的神经不再那么敏感，而且她深深地感到那种良好的感觉又回来了。思维的混乱已经消失，她的思考能力也开始改善。6年之后，她的健康状况还是非常好。

[根本的原因]

慢性疲劳症与肌肉纤维痛都是很具破坏性可导致残疾的疾病，医学界对这些疾病的看法各不相同。慢性疲劳症患者极度疲乏，但是更严重的是喉咙痛、淋巴结肿大和发烧；肌肉纤维痛患者也同样疲乏而且全身疼痛。正如我已经说过的，我相信它们的病因是相同的——都是由于氧化压力。

这两种疾病目前都没有明确的治疗方法。因此，肌肉纤维痛曾被称为心理性风湿病。事实上，许多医生现在仍然相信这种疾病实际上还是源于患者的精神问题。毫无疑问，这些疾病对患者和医生来说同样都是让人沮丧的。不幸的是，传统医疗只能提供一些针对具体症状的药物：非体抗炎药、肌肉松弛剂、抗抑郁剂和帮助睡眠的药物。医生们还会建议病人参加互助小组，告诉他们应该习惯于适应它的存在。

让我们仔细研究一下这些疾病，看看有没有更好的治疗方法吧。

肌肉纤维痛／慢性疲劳症

仅在美国就有大约800万人承受着肌肉纤维痛的折磨——其中每九个中就有八个是女性。你可能会感到奇怪：难道性格与这种疾病有关吗？也许。统计数据显示这些妇女一般都是比较敏感的完美主义者。

这些病人几乎总是活在痛苦中，他们极度疲乏，而且缺少睡眠。他们醒来的时候全身僵硬、精神错乱，而且许多人都有肠胃问题和颞颌关节症状，这种症状往往会导致严重的颌部疼痛和头痛。

大多数肌肉纤维痛患者来到我的诊室时都提着一堆由许多不同的医生做的医疗记录，因为要确诊肌肉纤维痛平均要花上7到8年的时间！可以想象这些病人是多么的沮丧！他们已经被从头到脚地检查过，却完全找不到任何异常。唯一能真正判断病人是否得了肌肉纤维痛的办法就是在18个特定区域做压痛点测试。如果其中11个或更多的区域只要轻微压迫就能感到明显疼痛的话，就能确诊病人得了肌肉纤维痛。

绝大多数肌肉纤维痛都是在某次严重的疾病、重大的外伤（尤其是颈部）或者生活中压力过大的时期之后出现的。正如你已经知道的，这些情况可以使我们的身体产生的自由基大量增加。这种疾病一旦发生，就会看起来永不休止。病人可能偶然会有那么一天感觉良好，但是却很少或者根本不会好转。而且如果某一天劳动过多，包括体育锻炼过多，病人就可能觉得压力过大或者病得更重，而且接下去的两到三个星期内都会感觉极度疲劳。

[治疗方法：捕获疾病]

一旦我确诊了一例肌肉纤维痛或者慢性疲劳症，我就会把注意力集中在控制氧化压力上。当然，我可以通过第17章详细介绍的细胞营养来很好地实现这一目标。我还强烈建议病人采用健康食谱，同时进行轻度锻炼。我总是提醒他们不要连续两天进行锻炼，而应该结合轻度的有氧锻炼和轻度的负重练习。

要记住，这是一种慢性的可能持续一生的疾病，所以要恢复健康必须假以时日。看到病人快速而且戏剧化的好转当然是件好事，但是这并不是经常出现的情况。我一向告诉病人们要认识到他们可能要花至少6个月才能有所好转。他们不一定会在这段时间内恢复到自己预期的程度，但是他们会知道自己正在朝着正确的方向前进。

一旦我的病人开始看到好转，就会看到光明。通常出现的情况就是一旦他们深信自己的健康正在好转，就会变得非常兴奋。我把这个称为"捕获"疾病——他们的确正在使自己体内的氧化压力恢复正常。

病人们最先注意到的胜利就是他不再出现"精神混乱"了。他们现在更容易思考和把精力集中在手头的工作上。然后，他们的睡眠状况也会开始改善。他现在能够得到更舒适的睡眠而且可以明显感觉精力增加。最后得到改善的通常都是疼痛。是的：这些疼痛终于开始减轻了。

我的肌肉纤维痛病人有70-75%都以这种方式最终取得了良好到优异的疗效。在过去7年中已经有上千名肌肉纤维痛病人按照我的营养计划获得了明显的好转。我在我的网站上详细介绍了这一计划，网址是www.nutritional-medicine.net。

我相信如果某个病人对这种治疗方法的反应不是很理想的话，原因就在于我们无法仅通过口服的营养补充方式来使氧化压力得到控制。这时我会建议病人去医疗中心通过静脉注射的方式补充营养。他们要"捕获"疾病并且最终开始好转就必须进行静脉注射。然后再通过口服方式来维持健康。

要知道，这些病人其实仍然患有肌肉纤维痛或者慢性疲劳症。我提供的并不是治愈的方法。相反，我实际上是要让病人们能够控制自己的疾病，而不是让疾病来控制他们。这些年来，我已经看到那么多病人逐渐好转而对未来怀有更大的信心。要做到这一点的确需要时间，但是他们的希望和决心会得到丰厚的回报。

[马里亚那的故事]

当我在费城演讲的时候，马里亚那找到了我。他驱车200英里，仅仅是为了能有个机会与我交谈。那天他给我讲了他自己的故事，他的故事深深地打动了我的心。

马里亚那的肌肉纤维痛曾经那么严重，以至于他每个月要吃300多片爱得卫来镇痛。他曾经是名精神科医生，但是他每天下午3点半就不得不离开办公室而且疲劳得每天晚上7点就必须去睡觉。

这时他开始采用我对所有肌肉纤维痛患者提供的营养计划。不到几个星期，马里亚那就开始注意到根本性的改变。他开始变得更清醒，而且他的疲劳也开始得到舒缓。他已经可以全天工作，而且睡得也越来越晚了。然后他注意到身体的疼痛也开始得到改善。一个多月后，他的疼痛已经减轻了许多而根本不再需要服用爱得卫了。

马里亚那又回复了原来的生活。他又能全心投入精神科的治疗工作了，而且每天还可以多工作4到5个小时。从我第一次见到马里亚那到现在已经有几年了，而他仍然非常健康。由于他工作时经常需要到治疗那些因为慢性退行性疾病而导致精神障碍的病人，所以他肯定完全了解这些疾病会对人们的生活带来多大的影响。

※　　※　　※　　※　　※

人们越来越多地求助于另类疗法这一事实为医疗界敲响了警钟。人们对自己的医疗保险所支付的医疗系统已经越来越感到失望。所以他们不断地通过自助的方式或者求助于另类疗法来解决问题，即使他们不得不另外出钱。简单地说吧，人们只是因为不适和疲劳而感到不适和疲劳了。虽然医生们还在大量地开着抗抑郁剂，但是另类疗法却仍然正在美国和全世界盛行着。

为什么呢？也许病人们求助于另类疗法的原因正是由于我在本章

开始的时候介绍过的情况，而且我还相信这也与人们并不像医生们以为的那样热爱药物。病人们希望有除了服用更多药物以外的解决办法。

我们医生们必须意识到我们自己必须对那么多人转而求助于另类疗法这一现象负责。是我们让病人们感到失望而求助于另类疗法。毕竟，绝大多数患者的确都先去找过医生。现在多数医生都认同健康饮食和合理锻炼的好处。但是也正是这些医生们并不完全认同或者了解氧化压力的作用。否则，他们就会强烈建议他们的病人开始服用高品质的强效营养补充——而不是反对他们去这么做。医生们不仅会看到病人的症状得到极大的改善，而且他们还会发现病人不会再那么频繁地求助于另类疗法。

第三部分 NUTRITIONAL MEDICINE

营养药物

第16章　医生在营养供应方面的不同意见
第17章　细胞营养：综述

第16章　医生在营养供应方面的不同意见

当我回想起早年从医的经历，我还清楚地记得我当时对待营养补充的态度。所以我只要看一下自己就能理解那些同样怀有偏见的医生们。我相信自己原来的感觉与现在绝大多数的医生们是一样的。

我记得自己曾经告诉病人只要按健康食谱饮食就能从食物中获得他们所需要的一切。"你只要去附近的杂货店买适当的食物就可以了，你用不着吃那些补品，"我会坚持说道，"吃维生素只是浪费钱。"

如果这样还不能劝服他们，我就会告诉他们一两个能证明维生素有害的研究结果。我还记得这些得出负面结果的研究是我唯一能想起的几个关于维生素的研究。毕竟当一些业外媒体或医学杂志刊登这些负面研究报告时，我就会对自己说："看吧，你对这些维生素的看法一直都是正确的。那些吹牛的家伙向我的病人散布这些谣言真是可耻。"

让我改变对维生素的看法的原因之一就是我们食谱的质量。

[典型的美国食谱]

现在，我必须在这里忏悔：事实上我一直都在快餐店吃饭。好吧，如果你非要问的话，我吃过巨无霸、炸薯条、大可乐——还是加大的，甚至还会吃一个热苹果派。不过你要知道这已经是许多年前的事了。从那时起，我对饮食有了一定的了解。

你刚才是不是正在吃吃地笑呢，心想怎么会有人为一件我们已经习以为常而不愿承认的事情去忏悔呢。虽然我们都知道快餐是补充能量的最坏的方式，但是我们还是在炸食品的油缸旁边排着队，等着拿我们辛苦赚来的钱去买那些会对我们将来的健康带来损害的食物。朋友，知道和去做完全是两码事。虽然我们一直叫着要减肥要吃健康食品，但是实际上，我们并没有这么去做。

典型的美国食谱中有将近40%的卡路里都是来自脂肪，而且多数都是饱和脂肪（坏东西）。1997年9月刊的《儿科》(Pediatrics) 医学杂志报道说，美国仅有1%的儿童的食谱符合RDA必须营养标准。孩子们不仅没有得到身体发育所必需的营养成分，而且他们在童年时期养成的不良饮食习惯往往会延续到成年以后。让我惊讶的是有那么多的青少年已经出现了典型的胰岛素阻抗。

第二次美国全国健康和营养调查对1200名成年人和他们的饮食习惯做了评估。下面就是其中的一些发现：

这些人中有17%完全不吃任何蔬菜。

除了土豆和沙拉以外，50%的人不吃任何蔬菜。换句话说，只有一半人会吃田园蔬菜。

只有41%的人吃水果或者果汁。

只有10%的人按照USDA的建议每天至少吃5客的水果和蔬菜。在非裔美国人中，只有5%达到建议数量。

虽然医生和注册营养师们都建议我们每天多吃水果和蔬菜，但是我们的社会却远远没有做到这一点。这次调查显示，如果不算炸薯条和烤土豆的话，过半数的人实际上没有吃任何蔬菜。更差的是，大约60%的人不吃任何水果。事实的真相是，虽然美国人懂得不少，但是他们并没有采用健康的食谱。

美国现在已经有超过50%的人被认为是明显超重的，这难道不让人担心吗？当你把这些不良的饮食习惯与我们在第14章中讨论过的高血糖指数食物联系在一起时，胰岛素阻抗和糖尿病在美国的盛行就不足为奇了。如果我让你出去锻炼两个星期而且坚持不吃任何白面包、精面粉、意大利面、大米和土豆的话，你很快就会明白为什么那么多人（超过8000万美国人）已经得了被称为X综合征的胰岛素阻抗了。

[美国的食物质量]

在过去的半个世纪中，地球上没有哪个国家生产的食物能有美国那么丰富了。但是当你从健康角度考虑我们的食物的质量时，就会开始担心了。我们现在生产和储存食物的流程对这些食物供应的质量有着严重的影响。莱克斯·毕曲（Rex Beach）在他向美国参议院做的报告中这样写：

你们知道吗，现在我们多数人都受着某种危险的食谱缺陷的影响，而且除非生产这些食物的土壤中的矿物质恢复平衡，否则这个问题是无法解决的。让人警觉的现实是这些食物——水果、蔬菜和谷物——是在数千万英亩的已经不再含有足够的矿物质的土壤中生长的，不论我们吃多少都是缺乏营养的。

毕曲是在1936年做这个声明的。而在毕曲向参议院提出这一点的几乎70年之后，我们国家贫瘠的土壤并没有多少改善；事实上，现在的情况比当时更差。要达到最佳的健康水平，五大矿物质（钙、镁、氯化物、磷和钾）和至少六种微量矿物质是必需的。农作物不会自行产生矿物质。它们必须从土壤中吸取这些矿物质。而如果我们的土壤中没有这些矿物质，那么我们的农作物中也不会含有它们。

而且它们的确没有。为什么？因为含有这些矿物质的有机肥料价格昂贵而且很难搞到。美国农民通过使用那些仅含有氮、磷和钾（简称NPK）的肥料施肥来降低他们的成本。使用这些NPK肥料后，农民们可以种出长得很好看的谷物和产品，但是这些农产品仍然缺乏所有其他必需的矿物质。不利的原因是美国农业发展的动力是经济因素，所以农民们更加关心的是每亩单产而不是他们收获的食物的营养成分。

没有人会怀疑我们食品的质量，人们相信它们已经比一两代之前的食物质量下降了许多。杂交的谷物、蔬菜和水果现在已经非常流行。这些杂交作物追求的是个大味美的产品，而且能够更好地抵御疾病。但是杂交作物中的营养成分却明显地低于它们的天然表亲。农民的收入是与每亩单产挂钩的——而不是产品的质量。农业本身也已经成为一个薄利的并且受政治因素左右的产业。虽然我们需要营养，但是农民们的底线是维持生计，而杂交作物能帮助他们做到这一点。

我们的食品行业通过特殊的运输和储存技术，可以一年四季地为全国各地提供各种各样的水果和蔬菜。品种是很丰富。但是要做到这一点是有代价的。采青的意思是说没等水果和蔬菜成熟就进行采摘。长途运输要求冷藏和其他保存手段，但是这会导致维生素营养流失。我们的食物还经过了高度加工。例如，把面粉加工为白面包的过程就能去掉超过23种必需的营养成分，其中最重要的是镁。我们的食品行业于是在这些面包中补充了大约8种营养成分，然后把它称为"强化"。

你知道吗？

- 在生产精面粉的过程中，我们把谷物外部的胚芽去除的过程中就损失了大约80%的镁。
- 在处理肉类的时候我们损失了50%—70%的维生素 B_6。
- 冷藏会损失橘子中50%的维生素C。

· 芦笋储存一星期后就会损失90%的维生素C。

这是事实，我们的食物在刚购买的时候就明显地缺少重要的营养成分，但是我们烹饪的方式可能更糟。过度蒸煮、没有及时处理新鲜食物和冷冻食物都是导致食物营养成分流失的原因。例如：

· 新鲜的沙拉和切开的蔬菜水果如果3个小时不吃就会损失40—50%的营养价值。
· 过热、过冷和长时间存放都会破坏维生素C。
· 处理食物的过程会明显减少叶酸。
· 冷冻肉类可以破坏超过50%的维生素B族。

我们的土壤从一开始的时候就缺乏营养，NPK肥料使之更为恶化。然后杂交作物又生产出缺乏营养的食物。现代的加工和存储方式又导致我们的食物质量进一步下降。然后我们把这些食物拿回家接着在储存和处理的过程中继续破坏它们的营养。这些都是为什么我们应该在饮食之余服用高品质营养补充的强有力的论据。

但是你必须知道，这些并不是我建议人们服用营养补充的根本原因。虽然这些情况已经被证明对人的健康有害，但是我们对营养的理解不比它们好。我们必须重新思考RDA——每日建议用量——的意思。

[最佳用量与RDA用量]

首先，你必须了解制订每日建议用量的最初用意。为了能帮助我们避免某些营养不足所导致的疾病，作为十种必需营养成分的最低标准，我们从20世纪20年代初到30年代中建立了RDA标准。这些疾病包括头皮屑（缺乏维生素C）、佝偻症（缺乏维生素D）和糙皮病（缺乏烟酸）

等等。换句话来说就是，假如你摄取了符合 RDA 标准的维生素 C、维生素 D 和烟酸，你就不会得这些疾病。

诚然，RDA 已经完成了它们的使命。在我从业 30 多年的过程中，我从来没有碰到过一例这样的疾病。它们仍然存在，但是已经很罕见了。事实上疾病控制中心的确甚至无法再找到这些疾病了。

RDA 中列出的营养成分在接下去的 20 年中逐渐扩增，到了 20 世纪 50 年代初期，RDA 的定义已经延伸为包括正常成长和发育所需的营养成分的数量。

虽然我们已经证明 RDA 事实上很有帮助，但是多数医生和外行人还是喜欢给 RDA 标准加上它们本不该有的含义。这有一部分是因为美国政府要求所有食物和营养补充品的标签上都要按照 RDA 标准注明百分比。但是通过过去 7 年内对营养补充和它们对慢性退行性疾病功效的了解，我相信一个最重要的事实：RDA 标准与慢性退行性疾病毫无关系。

我相信正是这一简单的事实比其他因素更让人们对营养补充对健康的帮助产生那么多误解了。医生们接受的培训使他们相信 RDA 标准就是身体保持最佳健康状态所需的营养标准。我相信这种错误的假设就是为什么医生、注册营养师、营养学专家和保健行业为什么都那么排斥营养补充的主要原因了。

当你翻阅医学杂志查找关于氧化压力和需要多少数量的营养成分才能预防它的介绍后，你会发现需要的营养成分的数量远远大于 RDA 标准。维生素 E 就是一个很好的例子。维生素 E 的每日建议用量是 10 个国际单位，在特定情况下可以提高到 30 个国际单位。美国食谱中平均含有 8-10 个国际单位。按照医学杂志的介绍，如果你每天不补充至少 100 个国际单位的话，就无法看到任何疗效。如果提高到每天 400 个国际单位甚至更多的话，疗效看上去还会更好。（多数了解营养补充的医生都会同意我们每天必须摄取至少 400 个国际单位的维生素 E。）

RDA 建议的维生素标准是 60 毫克，虽然过去几年中我们一直在争论应该把它增加到每天200毫克。另一方面，医学界指出，要达到更好的功效，我们的身体每天至少需要1000毫克的维生素C。如果我们增加到2000毫克的话，效果会更明显。

我会介绍所有主要的营养成分并列出医学界认为能提供健康帮助的最佳剂量。这些都与RDA完全无关。我要再说一次，每日建议用量与慢性退行性疾病完全无关。想知道我们每天需要吃多少东西才能达到这些最佳营养剂量的话，请看表1。

表1　要达到这些最佳营养剂量所需的食物量

维生素E（450国际单位）
· 33棵菠菜
· 27磅黄油
· 80个中等大小的鳄梨
· 80个芒果
· 2磅葵花籽
· 23杯麦芽
· 1.5夸脱玉米油

维生素D（600国际单位）
· 22个大蛋黄
· 6杯强化牛奶
· 30汤勺人造黄油
· 15盎司虾

维生素C（1300毫克）
· 17个中等大小的奇异果
· 16个中等大小的橙子
· 160个中等大小的苹果（包括苹果皮）
· 10.5杯新鲜橙汁
· 16杯生切椰菜

叶酸（1毫克）
· 3.8杯炒芦笋
· 4杯黑豆

· 20个中等大小的橙子
· 10杯芽甘蓝
· 3.8杯炒菠菜

维生素B_6（27毫克）
· 41个中等大小的香蕉
· 38个中等大小的带皮烤土豆
· 77杯小扁豆
· 15磅鸡胸肉
· 18杯麦芽

核黄素（27毫克）
· 22盎司牛肝
· 16杯低脂酸奶
· 9打鸡蛋
· 3.25加仑低脂牛奶
· 64杯炒菠菜

维生素B_1（27毫克）
· 135杯糙米
· 2磅火腿
· 3磅葵花籽
· 64杯青豌豆
· 12杯麦芽

我们完全没有可能通过食物获得这些最佳剂量的营养。如果你希望减少得慢性退行性疾病的危险，你就必须在食物之外补充营养。

你也许会长嘘一口气，心想，噢，太好了。我没问题了，因为我在吃复合维生素药片。不过还是别高兴得太早。单靠每天服用复合维生素药片也不能帮助你预防退行性疾病。复合维生素片基本上都是按照RDA标准配制的。你很难看到医学杂志中建议病人只靠复合维生素片来取得疗效的。要想预防或者减缓这本书里介绍的慢性退行性疾病的话，你必须服用更大剂量的高品质抗氧化物质。

显然，下一个问题就是，服用这些最佳剂量的营养补充安全吗？当我还不大确信营养补充是个好主意的时候，我经常与我的病人讨论这种危险性。我相信你的医生也会引用一些证明营养补充有害健康的研究结果。到底有没有危险呢？当然有。我们应该对此问题详细分析一下。

[营养补充的危险性与安全性]

在整本书中，我都提出了能证明营养补充在预防和／或减缓退行性疾病发展方面的功效。要通过这些营养补充达到这一目的，我们必须终身服用它们。我们希望服用的剂量远高于RDA标准，而且如果我们已经属于不太健康的人群，那么这些营养成分是否完全没有毒副作用而且可以大剂量安全使用就变得特别重要。

抗氧化物质在正确服用的情况下当然是安全的。营养补充只是我们从食物中可以获取的营养，只不过剂量要高于正常饮食能够提供的标准。另一方面，药物在预防某些慢性病时只能提供某些方面的临床效果，而它们天生就可能对病人带来危险。

医生们每开一种药，特别是用于治疗慢性病的药时，他必须向病人解释使用这种药物可能带来的危险。"我们开药，"布鲁斯·彭暮兰（Bruce Pomeranz）医生在1998年4月15日的《美国医学会杂志》中说道，"每年都导致超过100000万人死亡。"他还指出另外有210万病人由于药物而出现了并发症。营养补充没有这种危险。

在我另一本名为《处方导致的死亡》（由 Thomas Nelson 出版社在2003年发行）的书中，我解释了所有药物与生俱来的危险性和判断药物潜在副作用方面的缺陷。通过那本书，你会学到用非常实际和通俗易懂的原则来避免由于药物反作用而导致的痛苦和死亡的可能性。

由于处方和服用方法都正确的药物是美国第四大死亡原因，所以医生和医疗工作者们是时候面对这一重大的死亡危机了。医学专家们倡议并努力减少心脏病、中风和癌症的危险。但是为什么我们不愿意讨论如何去帮助我们的病人减少死伤于我们所开的药物的危险呢？

当我们的专家们实际上忽视了这个重大的死因的时候，我发现极为讽刺的是医生们还在反对他们的病人服用营养补充，认为这些营养成分对他们的健康是有危险的！

在过去的几年里，只有极少的死亡是与营养补充有关的。而且在这些事例中病人服用的剂量都比本书中建议的每种营养的剂量高出许多倍，例如烟酸。其他报告则与儿童偶然过量服用营养补充有关。

不用说，我们必须认识到如果特别大量地服用，营养补充也会有毒副作用。让我们来看一下每种营养成分的主要毒副作用。

维生素 A

在所有营养补充中，直接服用维生素 A 的情况最让人担心。成年人长期每天服用超过 50,000 国际单位的维生素 A 就会中毒。如果病人有肝病的话，长期低剂量服用也可能出现中毒。维生素 A 中毒的症状包括皮肤发干、指甲发脆、脱发、齿龈炎、厌食、恶心、疲劳和易怒。

儿童意外一次服用大剂量的维生素 A（100,000－300,000 国际单位）也会出现中毒。症状包括由于颅内压升高而导致头痛、呕吐和昏迷。《美国医学会杂志》2002 年 1 月 2 日报道了一项实验结果显示维生素 A 对正常的骨骼功能有害，会增加髋骨骨折的可能性。

妇女怀孕期间不应补充维生素 A。人们相信低至 5,000–10,000 的剂量也能导致新生儿缺陷。

我从不建议直接补充维生素 A。我们只要服用 β 胡萝卜素和混合的类胡萝卜素就可以获得足够的维生素 A。这是非常安全的，而且我们的身体在有需要的时候可以把 β 胡萝卜素转换成维生素 A 而完全不会中毒。

β 胡萝卜素

过去几年中，β 胡萝卜素已经被大剂量地使用过，而且没有一例毒副作用的报告。有些人得过一种胡萝卜素黄皮症而皮肤发黄，但是这是完全良性的，而且只要减少或停用 β 胡萝卜素就可以完全恢复。

维生素 E

虽然维生素 E 是一种可溶性维生素，但是它却有着非常好的安全记录。每天3200国际单位的维生素临床实验没有显示过任何反作用。还有一些实验证明维生素 E 可以抑制血小板凝固，因此可以像阿司匹林那样减少血凝块的可能性。维生素 E 的这种特性实际上有助于减少心脏疾病。研究者们相信维生素 E 实际上可以在治疗心脏病人时增强阿司匹林的药效。

维生素 C

即使服用非常大剂量的维生素 C 也是安全的，不过有些人可能会出现腹胀、排气或者腹泻的症状。曾经有人担心补充维生素 C 会增加肾结石的可能性。只有一次临床实验发现有这个问题，而且最新的四次相似的临床实验都没有证实这种担心。

维生素 D

维生素 D 最有可能导致中毒。我们不建议服用超过 1,500 国际单位的维生素 D。多数情况下我不建议病人每天服用超过 800 国际单位的维生素 D。维生素的毒副作用包括增加血液钙含量并导致钙沉积在体内器官中，从而增加肾结石的可能性。

有趣的是，《新英格兰医学杂志》最近刊登的研究报告证明波士顿93%的居民都缺乏维生素D——包括那些服用复合维生素片的人。另外一些研究也正在表明RDA的维生素D标准太低了（200国际单位），病人们需要摄取500-800国际单位的维生素D，这也是最佳的剂量。我们认为只要在安全的剂量范围内服用，维生素D仍然是无害的。

烟酸（维生素 B_3）

大剂量服用烟酸可导致皮肤潮红、恶心和肝脏损伤。临床研究显示烟酸缓释片可以减少皮肤潮红的现象，但是可能还会增加肝脏损伤的危险。

许多人都把大剂量服用烟酸作为一种天然的降低胆固醇的手段。把烟酸作为药物服用应该遵从医嘱。第17章中建议的烟酸剂量是非常安全的。我们现在还将烟酸与降胆固醇药物同时使用，这样降胆固醇的效果会特别明显。

维生素 B_6

维生素 B_6 是极少数有可能中毒的水溶性维生素之一。大于2000毫克的剂量可导致神经中毒的症状。但是每天50-100毫克的剂量尚未出现过任何中毒记录。[17] 大剂量使用维生素 B_6 一定要小心。

叶酸

服用叶酸可以掩盖维生素 B_{12} 不足的症状。因此人们服用叶酸的时候应该一直同时服用维生素 B_{12}。但是至今尚未有关于叶酸的毒副作用报告，即使是大至每天5克的剂量。这也是之所以说细胞营养可以安全地补充饮食的另一个理由。

胆碱

胆碱的耐受性非常高，虽然超大剂量（每天20克）时可以产生一种鱼腥臭并导致一些恶心、腹泻和腹痛的症状。

钙

人们能耐受的补钙剂量高达2000毫克。曾经有人担心大量补钙会增加肾结石的可能性，但是最近的一次实验显示大剂量的钙实际上可以降低肾结石的可能性。换句话说，服用钙最多的病人得肾结石的可能性最低。

碘

服用碘的剂量大于750毫克时可以促进甲状腺分泌。研究结果表明大量补碘可以使皮肤出现许多粉刺状的丘疹。

铁

补铁——特别是无机铁——现在已经引起了人们的担心。美国人基本上铁含量都已经足够了，继续补铁可能会造成铁质过多，有可能会增加男性心脏病的危险。还有一些人担心补铁实际上可能会增加氧化压力。

镁

补充镁是非常安全的，虽然有报告称人们可能会因为环境因素出现镁中毒的现象。这通常可见于挖掘镁矿或暴露在含有大量镁的环境中的人群。这些人可能会出现幻觉并且变得急躁易怒。

钼

钼是很安全的。但是每日服用剂量大于10~15毫克时可能会出现类似痛风的症状。

硒

一些临床实验显示每天服用400~500毫克的硒是安全的。但是我相信补硒的剂量不应该超过每天300毫克。硒中毒的症状包括抑郁、急躁、恶心、呕吐和脱发。

补充维生素 K、维生素 B_1（硫胺）、维生素 B_2（核黄素）、维生素 H、维生素 B_5（双泛酰硫乙胺）、肌糖、维生素 B_{12}、铬、硅、硼和硫辛酸尚未发现毒副作用。

[医生的辩护]

我确信现在绝大多数正在从医的医生们所受的医学教育都与我当年差不多。我基本上没有接受过任何正式的营养方面的医学培训。这在医学院不是必修课程。因此我在第 1 章提到的全国只有少数医学院要求学习营养课程是不足为怪的。

大约 50% 的医学院把营养学作为选修课程；但是正如我在本书《介绍》部分所说的，据调查结果显示，只有大约 6% 的医学院毕业生接受过营养学的培训。我敢断言，即使是这些接受过营养学培训的学生对营养补充的了解也并不多。这根本不是我们医学教育的重点。医生们学习的是疾病的诊断和治疗。我也是直到花了 7 年的时间去研究医学杂志中相关知识之后才改变了观念的。

在我从医的最初 23 年里，我是一名典型的相信自己对营养补充的认识和意见的医生。我对维生素的意见很强烈很偏激，而我的病人们真心地相信我。也许这是由于我是医学博士，而且人们认为我们应该知道一切与健康有关的事情。但事实并非如此！

医生们以使用药物为基础，然后才考虑营养补充，而且要依据医学杂志上报道的可信的临床实验结果。但是并不是每一次与营养补充有关的实验都会取得显著的疗效。有的时候实验结果的确显示会危害健康，而公众媒体和医学杂志都会公布这些负面研究结果。

就像我在本书《介绍》部分所描述的那样，当我还不支持营养补充的时候，我很了解这些负面研究结果并且经常向我的病人们引用它们。那时，一个负面的实验报告看上去可以否认上千次证明了营养补充有益健康的研究。由于每个阅读医学杂志的人都会碰到几个这样的实验报告，所以我觉得有必要分析一下其中几项最被人们大肆宣扬的实验。

[反对营养补充的事例]

芬兰实验

这项在芬兰进行的实验可能是在营养补充方面被人们引用得最多的实验之一。将近3万名重度吸烟者参加了这项实验。他们被均分为4组。

第1组不接受任何治疗。

第2组接受 dl-alpha-tocopherol（合成维生素E）治疗。

第3组接受合成β胡萝卜素治疗。

第4组同时接受 dl-alpha-tocopherol 和 β 胡萝卜素治疗。

研究者们对这些个体跟踪调查了5到8年的时间。实验期间大多数吸烟者没有戒烟。实验结果表明，任何一组接受了治疗的个体得肺癌的比例都没有减少。但是更让人担心的是服用β胡萝卜素的个体得肺癌的比例还增加了。调查者们吃惊了，因为之前的几项实验都显示病人可以通过饮食或静脉注射大剂量维生素E和β胡萝卜素来降低肺癌的发病率。

CARET 实验

这次实验的调查对象是居住在华盛顿州的18000名吸烟者和石棉工人。这些病人接受每天15毫克β胡萝卜素和2,5000国际单位的直接维生素A治疗。研究者们对这些病人跟踪观察了4年，并且再次发现服用这些营养补充的病人得肺癌的比例并没有下降。而且再次发现服用β胡萝卜素和维生素A的病人得肺癌的比例有所提高。

医生们的健康实验

这次实验为期12年，跟踪调查的对象是美国21,000名健康的男性医生，他们一部分每天服用50毫克β胡萝卜素，另一部分只服用安慰剂。实验结果表明这种营养补充对肺癌和心脏病既没好处也没害处。

[我的看法]

你是否觉得无法解释这些发现呢？它们第一眼看上去的确是让人失望的，但是让我们来仔细看一下。所有这些实验都清晰地表明，如果你吸烟或者已经很有可能得肺癌的话，你就不应该只吃β胡萝卜素。这也是一个很好的例子：你不应该大剂量地服用单独某种营养补充，特别是当你吸烟的时候。β胡萝卜素和其他抗氧化物质在这些情况下有可能变成促氧化物质。所谓促氧化物质指的是实际上可以增加体内自由基的营养。

这些实验指出对吸烟者单独使用β胡萝卜素或者只服用维生素E是不理智的，但是并没有反对同时服用多种营养补充。

而且芬兰实验中使用了合成维生素E(dl-alpha-tocopherol)也让我表示怀疑。其他实验已经显示这种合成维生素E能带来麻烦而不是减少问题。相反，多数医学杂志报道的实验使用的都是d-alpha-tocopherol，一种天然的维生素E。

我已经说过我很担心，多数这些实验都只是使用了一两种抗氧化物质，研究者们的意图只是寻找"特效药"。但是当了解了氧化压力和它是怎样对身体造成伤害之后，我们不得不意识到想通过使用一两种营养成分来解决问题无异于螳臂当车。

我们还要考虑到一个已知的事实，那就是肺癌的发展过程需要二三十年的时间，所以实际上芬兰实验的失败从一开始就是注定了的。这些病人是长期使自己的身体处在大量氧化压力之下的重度吸烟者。这些病人——以及所有参与这些实验的病人——都需要细胞营养（以最佳剂量全面均衡地补充营养），而不是特效药。

[一项更近期的研究]

《新英格兰医学杂志》2001年11月29日报道的另一项研究也引起了媒体的极大关注。这项关于辛伐他汀（舒降之）和烟酸的研究调查对象包括160名有高胆固醇和动脉硬化的病人，他们被分为4个组：

第1组为对照组，不接受任何药物治疗。

第2组接受舒降之和烟酸治疗。

第3组接受维生素E、维生素C、硒和β胡萝卜素治疗。

第4组接受舒降之、烟酸、维生素E、维生素C、硒和β胡萝卜素治疗。

第2组的实验结果最好，而且的确显示病人的动脉硬化有所减轻。排名第二的是抗氧化物质组（第3组），病人有了明显改善。而结合了舒降之和抗氧化物质的第4组病人的HDL（好的）胆固醇却没有多少提高。这一发现并不重要，而且统计方面也不明显。但是根据这些不重要的发现而出现的负面媒体宣传却导致绝大多数的医生立即声称服用维生素E会降低他们所开的降胆固醇药物的药效。

医生们往往会忽视这一事实，那就是上千次实验证明服用营养补充不仅有助于心脏病而且有助于所有这些慢性退行性疾病。正如你通过本书已经了解到的，心脏病并不是胆固醇疾病而是动脉炎症所导致的。就在这一次实验也已经证明服用抗氧化物质组的病人体内的LDL胆固醇抗氧化的能力也比服用他汀类药物的两组提高了35%。

媒体并没有关注这一发现，甚至没有向人们宣布。他们也没有告诉你那些服用他汀类药物的病人体内的CoQ10含量明显下降。许多研究者都感觉这可能正是为什么有些病人服用他汀类药物后感觉肌肉酸痛甚至出现肌肉破坏症状的根本原因，因为他们肌肉中的 CoQ10 含量太低。医生们通常会在这样的一次实验中肯定营养补充的疗效。但是，他们却完全忽视了上千次证明了营养补充有益健康的实验。

※　　※　　※　　※　　※

我希望并且祈祷那些会独立思考的医生们能够去查阅一下我在这本书里详细介绍了的研究实验。我希望医生们能成为开明的怀疑论者，并且研究一下他们能通过营养补充为他们的病人们带来的好处。我们不能仅仅倚靠 RDA 标准或者试图通过某种维生素来解决氧化压力的问题，我们必须了解为什么细胞营养才是消除氧化压力根本原因的最佳方法。

最重要的是，我们应该记住氧化压力的总体概念，并且知道病人能通过提高自己天然的抗氧化防御系统实现怎样的健康效果。这样做的结果只会带来终生的更好的改变。

第 17 章 细胞营养：综述

我已经介绍了医生们在他们的病人身上碰到的一些最让人沮丧或是最痛苦的疾病，但是现在我要实现一位医生最大的愿望：看着我的病人们不论男女老少都能在令人虚弱的疾病之后重新过上幸福完美的生活。这些人已经重新获得了健康，而不是被疾病所控制。

但是这的确是个事实：我从没见过病人能够仅靠传统医药取得这种疗效。你可能会看到过一两个这样的例子，并且相信这是上帝创造的"超自然"的奇迹。但是我们其实一直都有这种天然的自我修复的能力。我们身体的构造是神奇而伟大的。医学已经告诉我们必须去优化这些现有的天然的自我修复系统。我们必须利用人类最伟大的自我修复的资产，"受体"，也就是我们自己的身体。

有时候医生很难进行治疗。没有什么比处理免疫系统缺失更让医生沮丧的事情了。这种现象经常出现在典型艾滋病患者或者正在进行化疗的病人身上。

这些病人会出现严重的甚至非同寻常的感染。由于病人自身的免疫系统已经不再起作用，医生们没有别的选择，只能拿出他们最强效的抗生素，希望和祈祷能对病人有作用。这时医生们就会意识到有最佳的免疫系统是多么重要。我们的药物可能很好，但是，没有身体自我修复的能力，它们的确不会那么有效。

医生们既需要药物也需要健康的免疫系统，而这也是我呼吁人们使用高品质营养补充作为互补药物的原因。

[最佳剂量的营养]

你必须记住，尤其当你是医疗从业者的时候，维生素E、硒、钙、镁和维生素C只是一些我们应该从食物中获取的营养。但是我们还在把它们当药物来研究。药物必须经过严格的临床实验来证明它们是安全有效的，因为它们是人工合成的物质，其目的是破坏天然的酶系统来达到医疗的效果。在上一章里我介绍了营养补充可能带来的安全方面的危险。但是这种危险很小，尤其在与药物相比较的时候。这是由于维生素E、维生素C、硒等等实际上都是一些支持酶系统、抗氧化系统和免疫系统的天然物质。

因为我们现在能够生产营养补充剂，所以我们能够把这些营养补充到最佳的剂量。最佳剂量指的是那些已经被医学杂志证明能够为健康提供帮助的剂量。它们不是RDA剂量（见第16章）。当这些营养成分结合在一起而且以最佳剂量同时服用时，其结果会是相当惊人的。细胞营养只是为细胞提供最佳剂量的所有营养成分。这样细胞就能够决定它到底需要还是不需要哪些成分。我不需要担心如何判断细胞到底缺少哪种营养。我只需要提供最佳剂量的所有这些重要的营养成分，而让细胞自己去做这些工作。这种方法能在接下去的几个月中解决所有的营养缺乏的问题。

面包师傅掌握了烤面包的手艺，但是有了简便的自动面包机后，差不多所有的人都可以去试一下。我们不需要在技术方面了解得太深。只要你把所有正确的成分（按照适当的比例——感谢那些预先混合好的料包使我们对这一点也能很有把握）丢进去，你就能在几个小时后得到甘美的、热烘烘的，而且是自制的面包。但是假如你没有这种料包又或者忘记放酵母了呢？假如你放的盐太多了呢？我们在细胞营养方面用的也是相同的办法。你应该以一种完整的均衡的方式为细胞提供所有必需的营养，而且只有这样细胞才能得到它们所需要的一切营养来以最佳的状态工作。

表1 基本营养补充建议

抗氧化物质	你的抗氧化物质种类和数量越多越好。
维生素A	我不建议直接服用维生素A，因为它可能造成中毒。相反我们应该补充各种混合的类胡萝卜素。我们的身体会在有需要的时候把类胡萝卜素转换成维生素A而且完全没有中毒的危险。
类胡萝卜素	很重要的一点是应该服用各种类胡萝卜素的混合物而不是仅服用β胡萝卜素。 · β胡萝卜素　　　　　10,000 到 15,000 国际单位 · 番茄红素　　　　　　1 到 3 毫克 · 叶黄素／玉米黄质　　1 到 6 毫克 · 阿尔法胡萝卜素　　　500 到 800 微克
维生素C	将维生素C与其他营养成分混合服用是很重要的，尤其是混合了钙、钾、锌和镁的抗坏血酸，它对消除氧化压力更为有效。 · 1000 到 2000 毫克
维生素E	很重要的一点是要服用天然维生素E的混合物：d-alpha 维生素E、生育醇和三烯生育酚。 · 400 到 800 国际单位
生物类黄酮抗氧化复合物	生物类黄酮也是一类强效的抗氧化物质，它们对营养补充很有帮助。虽然数量各异但是主要包括下列产品： · 芸香苷 · 栎精 · 椰菜 · 绿茶 · 十字花科蔬菜 · 越桔 · 葡萄籽精华素 · 菠萝蛋白酶
硫辛酸	· 15 到 30 毫克
CoQ10	· 20 到 30 毫克
谷光甘肽	· 10 到 20 毫克 · 先质：N－乙酰－L－半胱氨酸　50 到 75 毫克

维生素B族 （辅助因子）	· 叶酸 · 维生素B_1（硫胺） · 维生素B_2（核黄素） · 维生素B_3（烟酸） · 维生素B_5（泛酸） · 维生素B_6 · 维生素B_{12}（钴胺素） · 维生素H	800到100微克 20到30毫克 25到50毫克 30到75毫克 80到200毫克 25到50毫克 100到250毫克 300到1000微克
其他重要的维生素	· 维生素D_5（胆钙化缩醇） · 维生素K	450到800国际单位 50到100微克
矿物质复合物	· 钙　　800到1500毫克 取决于食谱中的钙摄取量 · 镁　　400到800毫克 · 锌　　20到30毫克 · 硒　　200厘克是理想剂量 · 铬　　200到300微克 · 铜　　1到3毫克 · 锰　　3到6毫克 · 钒　　30到100微克 · 碘　　100到200微克 · 钼　　50到100微克 · 微量元素混合物	
其他有助骨骼健康的营养成分	· 硅　　3毫克 · 硼　　2到3毫克	
其他重要而且必需的营养成分——调节三甲基甘氨酸含量和大脑功能	· 胆碱 · 三甲基甘氨酸 · 肌糖	100到200毫克 200到500毫克 150到250毫克

食谱补充

必需脂肪酸	· 低温压榨的亚麻籽油 · 鱼油丸
补充纤维素	混合的可溶和不可溶纤维　10到30毫克，取决于食谱中摄取的纤维素数量（每天摄取的总纤维素数量的理想值是35到50克）。 有些营养品公司会把这些必需的营养成分包含在一到两种药片中，要达到这些补充量每天需要服用2到3次。请选用尽可能接近这些建议值的高品质产品。如果这些生产厂商遵循的是制药类的GMP和USP标准，那么你就肯定能够最大程度地预防氧化压力。必需脂肪酸和纤维素可以提供西方食谱中通常缺少的营养成分。

[保护你的健康]

营养补充其实是与健康而不是疾病有关。攻击慢性退行性疾病的根本原因的才是真正的预防药物。虽然我已经讲了许多得了重病的病人最终又能重获健康的故事,但是大家都知道保护健康要比重新获得健康容易得多。

采用上述这些原则之后,身体健康的人可以减少患上慢性退行性疾病的可能性。而那些已经在与疾病作斗争的人则可以增强体质,即使无法痊愈也能更好地与慢性疾病作斗争。而当你把健康的饮食、适当的锻炼和细胞营养结合起来之后,你在健康方面就是一个赢家。这难道不是你的目标吗?

事实是,一天一个苹果并不能让医生远离我。今天,你需要用高品质的营养品来补充你的苹果之外的均衡的营养。在这里,我会为你提出身体最佳细胞营养所需的基本营养建议。

当你以最佳剂量补充所有这些营养成分的时候,你的身体就能获得所有营养补充所能提供的好处。LDL胆固醇将不那么容易被氧化;高半胱氨酸的水平会降低;你的眼睛可以更好地预防阳光的氧化破坏;你的肺会有最好的保护;你的免疫系统和抗氧化防御系统都会得到增强;你会减少患心脏病、中风、癌症、视网膜黄斑变性、白内障、风湿性关节炎、阿滋海默症、帕金森综合征、哮喘、糖尿病、多发性硬化症和狼疮等等疾病的可能性。

要记住,这个充满威胁的环境与你高度紧张的生活方式使你的免疫系统和抗氧化系统必须有最坚强的后盾才能与之相抗衡。

[优化剂]

有的时候,病人需要的营养会比表1所列的多。如果病人正承受着持续性的疲劳或者某种慢性退行性疾病的折磨，他体内的氧化压力要比平时更多，因此我会在他的补充计划中添加一些我称为优化剂的营养。这些抗氧化物质已经被证明是特别有效的。各家营养品公司都在不断地寻找更多更有效的抗氧化物质，但是目前其中最好的是葡萄籽精华素，里面充满了proanthacyanidins，这是一些属于生物类黄酮类的非常有效的抗氧化物质，它们主要分布在水果带颜色的部分。

在与其他所有抗氧化物质和辅助营养同时使用时，葡萄籽精华素的抗氧化能力比维生素E高50倍，比维生素C高20倍。单独使用时，它的抗氧化能力仅是维生素E的6倍和维生素C的3到4倍。因此我们更能看出把各种营养结合在一起的力量。

不要忘记葡萄籽精华素最重要的特性——那就是它能够直接穿越脑血屏障（见第13章）。换句话说，它能够很容易地进入大脑、脊髓和神经内的液体。对那些疲劳症患者，我通常会根据病情的轻重建议他们增加至少100到200毫克的葡萄籽精华素。病人通常只需4到6个星期就能够体会到明显的改善并且重新感觉正常。只要继续坚持服用这种剂量的优化剂，他们还会继续保持得很好。

已经得了多发性硬化症、心脏病、狼疮、克罗恩氏综合征、癌症或者帕金森氏综合征这类慢性退行性疾病的患者问题就已经很严重了。在这种情况下，即使一般的日常的自由基也会对脂肪、蛋白和细胞DNA造成明显的氧化破坏。身体的自我修复功能已经太虚弱而无法再继续修复所有这些破坏。这些病人要"捕获"疾病重获健康的话，就明显需要更强效的抗氧化物质。在这种情况下，我也会在表1所列的基本细胞营养计划之外推荐优化剂。

我首选的优化剂通常都是葡萄籽精华素，不过对于这些慢性病患者，我建议的剂量往往比疲劳症的患者高出许多。其他的优化剂包括CoQ10、硫酸葡萄胺、叶黄素、玉米黄质、叶酸、镁和钙。

我在下面给出我针对各种不同的慢性退行性疾病采用优化剂的基本原则和营养成分。我的病人都在服用表1中列出的营养成分。我会根据每个病人病情的轻重在这个基本细胞营养计划的基础上额外添加优化剂。除葡萄籽精华素以外，我推荐最多的优化剂是CoQ10。它不仅是一种有效的抗氧化物质，而且也是细胞产生能量所必需的营养成分。另外CoQ10也是一种能增强免疫系统的非常重要的营养。

[注意：CoQ10很难吸收。我在下面的建议中给的是粉末状的剂量。如果你服用CoQ10油丸或者软胶囊的话应该减少一些剂量。]

针对特定疾病给出的在表1营养成分基础上需要添加的特定优化剂

心脏病

我会每天添加葡萄籽精华素和CoQ10各大约100毫克，并额外添加镁，每天大约200到300毫克。我觉得很关键的一点是这些病人应该服用一种含有表1中介绍的维生素E混合物的基础营养药片。

如果病人的高半胱氨酸水平不能降到7以下的话，我会在表1所列维生素B族的基础上增加1-5克的TMG（三甲基甘氨酸）。

心肌炎

我会给病人增加300-600毫克的CoQ10，同时补充一些镁和100毫克的葡萄籽精华素。病人们通常只需4个月就能看到疗效。CoQ10是非常安全的，我国一些权威研究者们也相信可以在病人对低剂量使用反应不明显的时候把剂量提高到600毫克。不过有些心脏病专家会要求在提高到这么大的剂量之前先做一下CoQ10的血液含量检查。

癌症患者

很难为各种癌症开一个简单的配方。不过如果没有癌症扩散迹象的话（或者外科医生相信已经完全摘除之后），我会各添加100

到200毫克的葡萄籽精华素和CoQ10。如果病人有乳腺癌（扩散性的癌症），我会建议病人服用300毫克的葡萄籽精华素和500-600毫克的CoQ10。8到15岁的儿童服用表1所列营养和我在这里建议的葡萄籽及CoQ10的用量减半。

视网膜黄斑变性

对于这种病人，我基本上会建议他们在服用表1的营养成分之外增加300毫克的葡萄籽精华素。除此以外我还会添加大约6-12毫克的叶黄素。我发现病人如果能有所好转的话一般都会在开始的4个月内出现。

多发性硬化症

我的多发性硬化症病人要有所好转的话都要至少服用400毫克葡萄籽精华素、200-300毫克CoQ10，甚至有时还要增加500到1000毫克的维生素C。我会告诉我的多发性硬化症病人需要至少6个月才能看到疗效。

狼疮和克罗恩氏综合征

这些病人在基本营养补充之外还需要大约300毫克葡萄籽精华素和200毫克CoQ10。同样，如果这些病人的病情能有所好转的话，通常也需要等到6个月之后。

骨关节炎

我会添加1500-2000毫克的硫酸葡萄胺和大约100-200毫克的葡萄籽精华素。如果病人们觉得有必要的话，我觉得再添加400到600毫克硫酸软骨素甚至100毫克MSM也没有问题。但是我不认为现在已经有足够的医学证据证明这两种营养成分在这种情况下可以算是优化剂。

风湿性关节炎

同样，我会添加1500-2000毫克的硫酸葡萄胺、300毫克CoQ10、400毫克葡萄籽精华素并且再增加200毫克镁和钙。另外我还会建议病人每天添加3到4粒鱼油丸或2茶匙低温压榨的亚麻籽油来补充omega-3脂肪酸。

骨质疏松症

对于这些病人我不会建议在表1的基础上加服优化剂，但是我要建议他们摄取适当剂量的维生素D、钙和镁，并确保与食物一起服用。他们还需要加强上身的负重锻炼。

哮喘

我会添加200-300毫克葡萄籽精华素（儿童用量是每天每公斤体重2毫克），同时加服1000毫克维生素C（儿童：200-500毫克）和200毫克镁（儿童只要再增加100毫克）。

肺气肿

表1列出的基本营养通常已经足够了。我可能也会增加200毫克葡萄籽精华素以及哮喘病所用的额外的维生素C和镁。

阿滋海默症和帕金森氏综合征

正如我前面所说的，这些病人在确诊之前就已经损失了相当多的脑细胞。我见过一些帕金森氏综合征病人在早期阶段通过积极的营养补充获得了明显的改善。我建议在表1的基础上加服400毫克葡萄籽精华素。有很好的医学证据显示可能通过这种方法减缓阿滋海默症和帕金森氏综合征的病情。

糖尿病

我会在基本营养的基础上添加大约100-200毫克的葡萄籽精华素。表1所列的细胞营养已经足够满足身体其他部分的营养需求。

慢性疲劳症／肌肉纤维痛

在基本营养补充计划上我会添加200-300毫克葡萄籽精华素和100-200毫克CoQ10。有时为了捕获疾病我需要把葡萄籽精华素提高到每天400甚至500毫克。一旦病人出现好转，可以把剂量降到比较低的维持水平。

[需要进一步的帮助吗？]

　　这些建议看起来可能会过于简单。但是这都是我取得那些在本书中已经介绍过的疗效时采用的原则。本书的篇幅不允许我对所有这些疾病逐一详细介绍。如果你对其中的某种疾病特别感兴趣而需要更多建议的话，我建议你访问我的网站 www.nutritional-medicine.net。

　　在我的网站上我更具体地提出了一些建议，这些都是我在治疗超过15种这类慢性退行性疾病时采用的方法。我会对那些希望通过电子邮件方式直接联系我，咨询营养方面建议的个人收取合理的费用。如果你成为我网站的会员的话，你可以毫无限制地访问我的网站，每两个月收到一份电子杂志，而且在咨询费上也可获得优惠。

[营养补充的选择]

　　我写这本书的目的并不是想推荐某个品牌或某种类型的营养补充。不过要确保你能找到高品质的营养补充的确需要根据几条建议：我强烈建议你们不要只图价格低廉而牺牲自己的健康。一旦你最终相信营养补充能给你带来健康方面的帮助，你就肯定希望确保自己花的钱值得。

　　如果你服用的是低品质的营养品的话你就肯定不会获得我在这本书里所说的最佳疗效。因为你会发现这是一个极不规范的行业。你得花些时间精力去检查你想买的产品的质量。但是如果你希望有机会去保护或者重获健康的话，购买全面而且均衡的高品质营养补充这一点非常重要。

　　任何行业都一样，原材料的选用和产品的生产方式都会影响产品的质量。我建议我的病人购买他们经济条件能及的最高品质的营养补充。每个人都应该知道健康的重要性和他应该在健康上面花多少钱。我知道对多数人来说都是一个需要从经济方面仔细考虑的决定。一旦你失去了健康，就很难再重新获得它，不论你愿意或者能够花多少钱。

当你仔细分析我在表1中建议的基本营养时，你很快就会意识到单靠每天服用复合维生素片是无法摄取到这么多营养补充的。你需要选择一种尽可能完善和均衡的产品。有几家公司现在会把所有这些营养放在一种或者两种不同的药片中销售。但是要摄取到这些最佳剂量的话，你每天可能需要服用好几次（4到8片）。你的药片能够提供越多越全面的补充就越好。但仅仅这样你还不能确定你服用了所有这些矿物质和B族辅助因子。

你需要花点时间调查一下你选择的营养品公司。你可以在这家公司的网站上获得许多信息，你也可以直接给这家公司打电话。最重要的一点是要查出你选择的这家公司是否遵循了药品质量管理规范（GMP）。遵循了这一规范的公司的产品被称为符合药品标准的营养品。这意味着这家公司的生产流程与非处方药物的公司所要遵循的规则类似。政府没有要求公司去这么做，但是有些公司希望通过生产高品质的符合制药标准的产品来使他们的用户相信自己所花的钱是值得的。

这些高品质的厂商会在产品中加入准确数量的成分，并且会标明所有的成分。你还可以在瓶子上看到有效期（这一点很好）和公司的完整地址。如果提供真实的街道地址而不是邮政信箱的话会更好。

要研究某家公司还有另一个方面可以调查，那就是看看它的产品销往哪里。一家在世界各地销售产品的公司需要遵守的质量标准通常要比仅在美国销售的公司要高。加拿大、澳大利亚和西欧国家对营养品制造的要求最高。其中有些国家还会定期派官员去生产车间进行实地调查。最好就是这家公司能展示一份关于生产质量方面的第三方证明。

我说的这些是否有点吹毛求疵了呢？1997年11月《塔夫茨大学通讯》（Tufts University Newsletter）报道了一项马里兰大学（The University of Maryland）进行的调查，他们仔细地检查了九种不同配方的维生素片。他们没有研究其中到底含有哪些成分而只是检查它们是否能够溶解。（如果药片甚至都不能溶解的话，里面到底有什么都无关紧要了。）他们发现九种药片中只有三种能够溶解。这是真的：九种里面只有三种。而那些能溶解的药片是根据美国药典（USP）的标准来生产的。

这些政府规范使我们能够确信这些药物和营养品能够被我们的身体吸收。如果这家公司不能根据 USP 标准生产能溶解的药片的话，GMP 制药标准也失去了意义。选择一家遵守 USP 标准的公司肯定是对的。

要获取关于各家公司生产流程采用的质量控制方法的信息有时候是很困难的。目前市场上琳琅满目的营养品光从数量上就能让你无所适从。每家公司都希望能在这个竞争激烈的市场上有所作为。我们必须透过铺天盖地的广告去了解真相和他们的营养品的质量。希望这些要点能帮得上你。

※　　※　　※　　※　　※

如果你要把整个医疗过程的优先程度从一开始划分为24小时的话，这本书里展示的医学证据通常会出现在最后五六秒。这是最尖端的医学研究。多数医生和医疗从业者们才刚刚起步去把这些研究结果应用在每个人的日常生活中。

只要有可能就去做吧，这个简单的细胞营养的观念就是帮助你预防最根本的氧化压力的最好的方法。通过把健康饮食、适当锻炼和细胞营养结合在一起，你就能使自己最有效地保护健康或在失去健康后重新获得。你已经了解了互补药物的威力。

这本书里介绍的各种各样真实的临床事例向我们展示了我们身体所拥有的惊人的自我修复能力。我讲的这些故事中的病人仍然还有这些疾病，其中许多人还在服用大量的药物，但是他们已经尽可能地过上了完整的生活。当医生们利用这一最重要的资产，受体——我们的身体——并且认同而不是否认它在治疗过程中的重要性时，药物治疗的临床疗效也可能得到提高。

特丽莎·罗得斯 (Tricia Rhodes) 在她标题为《拿起你的十字架》 (Taking Up Your Cross) 的好书中为我们展示了她深远而适当的智

慧："我们要永远记住生的短暂、死的必然和不朽的永远。" 我们不可能永远生活在这些"躯壳"中。他们会磨损，而我们完全的救赎终会来临。但是在现在，这些健康观念才是照顾和保护我们健康的最好的方法。希望我们都能好好地活到死去。